sobre a tirania

TIMOTHY SNYDER

sobre a tirania

Vinte lições do século XX *para o presente*

Tradução

Donaldson M. Garschagen

2ª reimpressão

Companhia Das Letras

Grafia atualizada segundo o Acordo Ortográfico da Língua Portuguesa de 1990, que entrou em vigor no Brasil em 2009.

Título original On Tyranny: Twenty Lessons from the Twentieth Century
Capa Kiko Farkas/ Máquina Estúdio
Preparação Alexandre Boide
Revisão Valquíria Della Pozza e Luciane Varela Gomide

Dados Internacionais de Catalogação na Publicação (CIP)
(Câmara Brasileira do Livro, SP, Brasil)

Snyder, Timothy
Sobre a tirania: vinte lições tiradas do século XX para o presente / Timothy Snyder; tradução Donaldson M. Garschagen. — 1ª ed. — São Paulo: Companhia das Letras, 2017.

Título original: On Tyranny: Twenty Lessons from the Twentieth Century
ISBN 978-85-359-2918-8

1. Cultura política – Estados Unidos 2. Democracia – Estados Unidos 3. Despotismo 4. Ética política 5. História moderna – Século 20 I. Título.

17-03639 CDD-321.9

Índice para catálogo sistemático:
1. Estados Unidos: Século 20: Ciência política 321.9

[2018]

EDITORA SCHWARCZ S.A.
Rua Bandeira Paulista, 702, cj. 32
04532-002 — São Paulo — SP
Telefone: (11) 3707-3500
www.companhiadasletras.com.br
www.blogdacompanhia.com.br
facebook.com/companhiadasletras
instagram.com/companhiadasletras
twitter.com/cialetras

Em política, enganar-se não é desculpa.

LESZEK KOŁAKOWSKI

sumário

prólogo
história e tirania

A história não se repete, mas ensina. Enquanto os Pais Fundadores dos Estados Unidos debatiam a Constituição americana, aprendiam com a história que conheciam. Temerosos de que a república democrática que imaginavam ruísse, refletiam sobre o declínio das democracias e repúblicas antigas que degeneraram em oligarquias e impérios. Sabiam que Aristóteles advertira que a desigualdade traz instabilidade, enquanto Platão acreditava que os demagogos tiravam proveito da liberdade de expressão para tomar o poder como tiranos. Ao fundar uma república democrática alicerçada na lei e ao criar um sistema de controle, os Pais Fundadores procuraram evitar o mal que eles chamavam, assim como os antigos filósofos, de tirania.

Tinham em mente a usurpação do poder por uma única pessoa ou um grupo, ou ainda a violação da lei pelos governantes em benefício próprio. Grande parte do debate político posterior nos Estados Unidos girou em torno do problema da tirania na sociedade americana: contra os escravos e as mulheres, por exemplo.

Portanto, recorrer à história quando nossa ordem política parece estar em perigo é uma tradição americana fundamental. Se hoje tememos que o experimento democrático dos Estados Unidos esteja ameaçado de tirania, podemos seguir o exemplo dos Pais Fundadores e acompanhar a história de outras democracias e repúblicas. Temos a vantagem de poder valer-nos de exemplos mais recentes e relevantes do que a Grécia e a Roma da Antiguidade, mas a história da democracia moderna é também uma história de declínio e queda. Desde que as colônias americanas declararam-se independentes de uma monarquia europeia que os Fundadores consideravam "tirânica", a história da Europa teve três importantes momentos democráticos: depois da Primeira Guerra Mundial, em 1918, depois da Segunda Guerra Mundial, em 1945, e depois do fim do comunismo, em 1989.

Muitas democracias fundadas sob essas conjunturas fracassaram, em circunstâncias que, em certos aspectos relevantes, assemelham-se às nossas.

A história tem o poder de familiarizar e também de advertir. No fim do século XIX, bem como no fim do século XX, a expansão do comércio global gerou expectativas de progresso. No começo do século XX, tal como no começo do XXI, essas esperanças foram ameaçadas por novas visões de políticas de massa em que um líder ou um partido afirmavam representar diretamente a vontade do povo. As democracias europeias descambaram para o autoritarismo de direita ou para o fascismo nas décadas de 1920 e 1930. A União Soviética comunista, criada em 1922, levou seu modelo para a Europa na década de 1940. A história europeia do século XX nos mostra que as sociedades podem ruir, que as democracias podem entrar em colapso, que a ética pode ser aniquilada e que os homens comuns podem se ver diante de valas comuns com armas nas mãos. É importante hoje entendermos a razão disso.

Tanto o fascismo como o comunismo foram respostas à globalização: às suas desigualdades reais ou presumidas e à incapacidade das democracias de resolvê-las. Os fascistas rejeitavam a razão em nome da força de vontade, negando a verdade objetiva em favor de um mito glorioso articulado por líderes que afirmavam ser a voz do povo. Davam um rosto à globalização, argumentando que suas dificuldades complexas eram resultado de uma conspiração contra a nação. Os fascistas governaram durante uma ou duas décadas, o que veio a provocar uma produção intelectual que se torna mais relevante com a passagem do tempo. Os comunistas exerceram o poder durante um período mais longo: de quase sete décadas na União Soviética e mais de quatro décadas em grande parte do Leste Europeu. Propunham o poder de uma elite partidária disciplinada, com o monopólio da razão, que guiaria a sociedade no sentido de um futuro definido, baseado em leis históricas supostamente fixas.

Poderíamos ser tentados a pensar que nossa herança democrática nos protege automaticamente dessas ameaças. É uma ideia equivocada. Nossa própria tradição exige que se examine a história a fim de compreender as fontes mais profundas da tirania e de refletir sobre as respostas apropriadas. Os americanos não são mais sábios do que os europeus que viram a democracia dar lugar ao fascismo, ao nazismo ou ao comunismo no século XX. Nossa única vantagem é poder aprender com a experiência deles. E este é um bom momento para isso.

Este livro apresenta vinte lições do século XX adaptadas às atuais circunstâncias.

1. Não obedeça de antemão

A maior parte do poder do autoritarismo é concedida voluntariamente. Em tempos como estes, as pessoas calculam com antecedência o que um governo mais repressivo pode querer, e muitas vezes oferecem sua adesão sem que sejam solicitadas. Um cidadão que procede dessa maneira está ensinando ao poder o que ele pode fazer.

A obediência por antecipação é uma tragédia política. Talvez os governantes a princípio não soubessem que os cidadãos estavam dispostos a abrir mão de determinado valor ou de certo princípio. Talvez um novo regime não tivesse, de início, meios diretos de influenciar os cidadãos de uma maneira ou de outra. Depois das eleições alemãs de 1932, que permitiram a Adolf Hitler formar seu governo, ou das eleições tchecoslovacas de 1946, nas quais os comunistas saíram vitoriosos, a obediência por antecipação foi crucial para o passo seguinte. Como em ambos os casos grande número de pessoas ofereceu seus serviços voluntariamente aos novos poderosos, tanto os nazistas como os comunistas se deram conta de que poderiam agir rapidamente no sentido de impor uma completa mudança de regime. Depois, os primeiros atos precipitados de submissão não podiam mais ser desfeitos.

No começo de 1938, Adolf Hitler, já então firmemente instalado no poder na Alemanha, ameaçava anexar a vizinha Áustria. Quando o chanceler austríaco cedeu, foi a obediência por antecipação dos austríacos que decidiu o destino dos judeus da Áustria. Nazistas austríacos passaram a capturar judeus e a obrigá-los a fazer faxina nas ruas para remover símbolos de uma Áustria independente. É importante destacar que cidadãos que não eram nazistas assistiam a isso com interesse e achando graça. Os nazistas tinham listas de propriedades de judeus e roubavam o que podiam. Mas outros, que não eram nazistas, também aderiram à pilhagem. Como recordou a ensaísta política Hannah Arendt: "quando tropas alemãs invadiram o país e góis passaram a atacar residências de famílias judias, judeus austríacos começaram a se suicidar".

A obediência por antecipação dos austríacos, em março de 1938, mostrou à alta cúpula nazista o que seria possível. Foi em Viena, em agosto daquele ano, que Adolf Eichmann criou o Escritório Central de Emigração Judaica. Em novembro de 1938, seguindo o exemplo austríaco de março, os nazistas alemães organizaram o pogrom nacional conhecido como *Kristallnacht*, ou Noite dos Cristais.

Em 1941, quando a Alemanha invadiu a União Soviética, a SS tomou a iniciativa de formular os métodos de massacre em massa mesmo sem ordens nesse sentido. Presumiram o que seus superiores queriam e demonstraram o que era possível. Foi muito mais do que Hitler havia imaginado.

Em seus primeiros momentos, a obediência por

antecipação se limita a uma adaptação instintiva, sem reflexão, à nova situação. Somente os alemães procedem dessa maneira? Analisando as atrocidades nazistas, o psicólogo americano Stanley Milgram quis mostrar que uma certa inclinação autoritária explica a razão pela qual os alemães tinham se comportado daquela forma. Milgram imaginou um experimento destinado a testá-lo, mas não conseguiu permissão para realizá-lo na Alemanha. Por isso concretizou a ideia num prédio da Universidade Yale, em 1961, o mesmo ano em que Adolf Eichmann foi julgado em Jerusalém por seu papel no Holocausto de judeus durante o nazismo.

Milgram disse aos participantes do experimento (estudantes de Yale e moradores de New Haven) que poderiam aplicar choques elétricos em outros integrantes num experimento sobre aprendizagem. Na verdade, as pessoas ligadas aos fios do outro lado de uma janela eram parte do esquema criado por Milgram, e só fingiam estar sendo submetidas a choques. Enquanto supostamente torturavam outras pessoas num experimento de aprendizagem, os participantes se viram diante de cenas horríveis. Pessoas que não conheciam e contra as quais não tinham nenhuma queixa pareciam estar sofrendo horrivelmente, socando o vidro da janela e reclamando de dores cardíacas. Ainda assim, a maioria seguiu as instruções de Milgram e continuou a aplicar o que pareciam ser choques cada vez mais fortes, até as vítimas darem sinais de terem morrido. Mesmo aqueles que não foram até o fim, interrompendo os choques antes da morte (aparente) de outros seres humanos, foram embora sem perguntar sobre o estado dos demais.

Milgram concluiu que as pessoas são particularmente receptivas a novas regras num ambiente novo. De forma surpreendente, mostram-se dispostas a maltratar e a matar outras pessoas a serviço de algum propósito novo se assim forem instruídas por uma nova autoridade. "Encontrei tanta obediência", lembrou Milgram, "que não vi necessidade de levar o experimento à Alemanha."

2. Defenda as instituições

São as instituições que nos ajudam a preservar a decência. Elas também precisam de nossa ajuda. Não *se refira às "nossas instituições", a não ser que você as torne realmente suas por atuar em benefício delas. As instituições não se protegem sozinhas. Desmoronam uma depois de outra se cada uma delas não for defendida desde o início. Por isso, escolha uma instituição que você aprecia — um tribunal, um jornal, uma lei, um sindicato — e aja em seu favor.*

Temos uma tendência de imaginar que as instituições são capazes de se proteger de forma automática até dos ataques mais diretos. Foi exatamente esse o erro cometido por alguns judeus alemães depois que Hitler e os nazistas assumiram o governo. Em 2 de fevereiro de 1933, por exemplo, um dos principais jornais dos judeus alemães publicou um editorial que expressava essa confiança equivocada:

> Não concordamos com a opinião segundo a qual Herr Hitler e seus amigos, que agora conquistaram, finalmente, o poder que por tanto tempo desejaram, vão pôr em prática as propostas que circulam em [jornais nazistas]; eles não privarão, de repente, os judeus alemães de seus direitos constitucionais, não os juntarão em guetos, nem os submeterão aos impulsos invejosos e homicidas da multidão. Não podem agir assim porque diversos fatores cruciais impõem restrições aos que detêm o poder [...] e eles claramente não desejam seguir por esse caminho. Quando se age como uma potência europeia, toda a atmosfera tende para uma reflexão ética que apela ao lado bom das pessoas e impede que se retorne à postura assumida anteriormente, quando na oposição.

Esse era o posicionamento de muitas pessoas sensatas em 1933, e é o posicionamento de muitas pessoas sensatas hoje. O erro está em presumir que os governantes que chegaram ao poder por meio das instituições não possam mudar ou destruir essas mesmas instituições — mesmo no caso daqueles que anunciaram que fariam exatamente isso. Os revolucionários na verdade algumas vezes desejam destruir as instituições no mesmo instante. Foi essa a postura dos bolcheviques russos. Às vezes as instituições perdem a vitalidade e a função, são transformadas em simulacros do que foram um dia, passando a fortalecer a nova ordem, em vez de atuarem como um foco de resistência. Foi isso que os nazistas chamaram de *Gleichschaltung*.

Menos de um ano foi necessário para que a nova ordem nazista se consolidasse. No final de 1933, a Alemanha tinha se tornado um Estado de partido único, no qual todas as principais instituições estavam subjugadas. Em novembro daquele ano, as autoridades alemãs realizaram eleições parlamentares (sem oposição) e um referendo (sobre uma questão para a qual todos conheciam a resposta "correta") para confirmar a nova ordem. Alguns judeus alemães votaram como os líderes nazistas desejavam que votassem, na esperança de que esse gesto de lealdade os aproximasse do novo governo. Vã esperança!

3. Cuidado com o Estado de partido único

Os partidos que reconstruíram os Estados e suprimiram os rivais não foram onipotentes desde o começo. Eles se aproveitaram de um momento histórico para tornar a vida política impraticável para os adversários. Por isso, apoie o sistema multipartidário e defenda as regras de eleições democráticas. Vote em eleições municipais e estaduais enquanto for possível. Pense em concorrer a um cargo eletivo.

É provável que Thomas Jefferson nunca tenha dito que "o preço da liberdade é a eterna vigilância", mas outros americanos da época o fizeram decerto. Quando pensamos nessa frase hoje, imaginamos nossa vigilância virtuosa dirigida para o exterior, contra oponentes de motivações equivocadas e hostis. Vemos a nós mesmos como uma cidade no alto de um monte, uma fortaleza da democracia, sempre atenta às ameaças externas. Mas o sentido dessa frase era radicalmente diferente: a natureza humana é tal que a democracia americana deve ser defendida contra *americanos* que pudessem se valer de suas liberdades para atacá-la. O abolicionista americano Wendell Phillips de fato disse que "o preço da liberdade é a eterna vigilância". E acrescentou que "o maná da liberdade popular deve ser colhido a cada dia, ou apodrece".

A história da moderna democracia europeia confirmou a sabedoria de tais palavras. O século XX testemunhou tentativas louváveis de ampliar o direito de voto e de criar democracias duradouras. No entanto, as democracias que surgiram depois da Primeira Guerra Mundial (e da Segunda) em muitos casos ruíram quando um partido único tomou o poder mediante alguma combinação de eleição e golpe de Estado. Um partido fortalecido por resultados eleitorais favoráveis, ou motivado por uma ideologia, ou ambas as coisas, podia transformar o sistema de dentro para fora. Quando os fascistas, nazistas ou comunistas saíram-se bem em eleições nas décadas de 1930 ou 1940, o que se seguiu foi uma combinação de espetáculo, repressão e "tática do salame" — ir cortando, uma a uma, fatias da oposição. A maioria das pessoas foi silenciada, algumas encarceradas e outras, derrotadas.

O protagonista de um romance de David Lodge diz que quando faz amor pela última vez, você não tem como saber que é a última. Com o voto, acontece o mesmo. Alguns alemães que votaram no Partido Nazista em 1932 sem dúvida se deram conta de que aquela poderia ser a última eleição razoavelmente livre durante algum tempo, mas a maioria não percebeu isso. É provável que alguns tchecos e eslovacos que apoiaram o Partido Comunista Tchecoslovaco em 1946 soubessem que estavam votando pelo fim da democracia, porém a maioria presumiu que haveria outra oportunidade de ir às urnas. Sem dúvida, os russos que votaram em 1990 não imaginavam que aquela seria a última eleição livre e limpa na história de seu país, como (até agora) foi. Qualquer eleição pode ser a última, ou pelo menos a última na vida do eleitor. Os nazistas permaneceram no poder até perderem uma guerra mundial em 1945, e os comunistas tchecoslovacos mantiveram o poder até o colapso do sistema, em 1989. A oligarquia russa surgida depois das eleições de 1990 continua no governo e promove uma política externa destinada a destruir a democracia em outros países.

A história da tirania se aplica aos Estados Unidos? Os primeiros americanos, os que falavam em "eterna vigilância", certamente pensavam que sim. A lógica do sistema que criaram tinha como objetivo mitigar as consequências de nossas imperfeições reais, e não celebrar nossa perfeição imaginária. Com certeza enfrentamos, como os antigos gregos, o problema da oligarquia — cada vez mais ameaçadora à medida que a globalização faz crescer a desigualdade econômica. A peculiar ideia americana de que doar dinheiro para campanhas políticas equivale à liberdade de expressão faz com que os muito ricos tenham muito mais expressão, e, na prática, muito mais poder de voto do que os outros cidadãos. Nos Estados Unidos, acreditamos que temos mecanismos de controle, mas é raro enfrentarmos uma situação como a atual: o menos popular dos dois partidos domina todas as alavancas do poder no âmbito federal, bem como a maioria dos legislativos estaduais. O partido que exerce esse controle propõe poucas políticas que contem com o apoio da sociedade em geral, e várias que não têm apoio de ninguém — e por isso deve temer a democracia ou debilitá-la.

Outro antigo ditado americano dizia que "onde terminam eleições anuais, começa a tirania". Veremos, no futuro, as eleições de 2016 como os russos veem as eleições de 1990, os tchecos veem as de 1946 e os alemães as de 1932? Por enquanto, isso depende de nós. Muitas medidas são necessárias para consertar o distorcido sistema de distritos eleitorais, de modo que o voto de cada cidadão tenha o mesmo peso, e que cada voto possa apenas ser contado por outro cidadão. Precisamos de votos de papel, que não podem ser adulterados remotamente e sempre podem ser recontados. Esse tipo de trabalho pode ser feito nos âmbitos municipal e estadual. Podemos ter certeza de que as eleições de 2018, se ocorrerem, serão um teste das tradições americanas. Por isso, há muito o que fazer nesse meio-tempo.

4. Assuma sua responsabilidade para com o mundo

Os símbolos de hoje possibilitam a realidade do amanhã. Observe as suásticas e os outros sinais do ódio. Não desvie o olhar, nem se acostume com eles. Remova-os você mesmo e dê o exemplo para que outros também o façam.

A vida é política, não porque o mundo se importa com como você se sente, mas porque o mundo reage ao que você faz. As pequenas escolhas que fazemos são também uma espécie de voto, tornando mais provável ou menos provável que eleições livres e honestas ocorram no futuro. Na política do dia a dia, nossas palavras e gestos, ou nossa omissão, fazem muita diferença. Alguns exemplos extremos (ou nem tanto) do século XX mostram como isso acontece.

Na União Soviética governada por Ióssif Stálin, fazendeiros prósperos eram representados em cartazes de propaganda como porcos — uma desumanização que, num ambiente rural, sugere claramente o assassinato. Era o começo da década de 1930, quando o Estado soviético procurava dominar o campo e arrancar da zona rural o capital necessário para uma rápida industrialização. Os camponeses que eram donos de mais terras ou animais que outros foram os primeiros a perder o que tinham. Um vizinho retratado como um porco é uma pessoa de cuja terra você pode se apossar. No entanto, aqueles que obedeciam à lógica simbólica também se tornaram vítimas. Depois de fazer com que os camponeses mais pobres se voltassem contra os mais ricos, o poder soviético apoderou-se da terra de todos para criar novas fazendas coletivas. Uma vez completada, a coletivização levou grande parte do campesinato soviético a passar fome. Entre 1930 e 1933, milhões de pessoas na Ucrânia soviética, no Cazaquistão soviético e na Rússia soviética morreram de maneira horrível e humilhante. Antes que o processo de coletivização chegasse ao fim, os cidadãos soviéticos se alimentavam de cadáveres.

Em 1933, quando a escassez chegava ao auge na URSS, o Partido Nazista ganhou o poder na Alemanha. Na euforia da vitória, os nazistas tentaram organizar um boicote às lojas dos judeus. No começo, a campanha não teve muito sucesso. No entanto, o fato de algumas lojas passarem a ser sinalizadas com palavras como "judia" ou "ariana" pintadas à tinta nas janelas ou nas paredes afetou a maneira como os alemães encaravam a economia doméstica. Uma loja marcada como "judia" não tinha futuro. Tornou-se alvo fácil de roubos. À medida que as propriedades foram recebendo marcas étnicas, a inveja transformou a ética dos cidadãos. Se as lojas podiam ser "judias", o que dizer de outras empresas e propriedades? O desejo de que os judeus desaparecessem, talvez num primeiro momento reprimido, foi crescendo à medida que a cobiça fermentava. Desse modo, os alemães que caracterizavam algumas lojas como "judias" — assim como as pessoas que simplesmente assistiam ao que ocorria — participaram de fato do processo de desaparecimento dos judeus. A aceitação das marcas étnicas nas lojas como parte natural da paisagem urbana já se revelava um sinal de leniência em relação a um futuro massacre.

É possível que um dia seja oferecida a você a oportunidade de exibir símbolos de filiação. Certifique-se de que esses símbolos incluam seus concidadãos, em vez de excluí-los. Mesmo a história de broches de lapela está longe de ser inocente. Em 1933, na Alemanha nazista, as pessoas usavam broches pelo "Sim" durante as eleições e o referendo que confirmou o Estado unipartidário. Na Áustria, em 1938, pessoas que antes não eram nazistas passaram a usar broches com suásticas. O que poderia parecer um gesto de orgulho pode ser uma fonte de exclusão. Na Europa das décadas de 1930 e 1940, algumas pessoas decidiram usar suásticas, e logo outras foram obrigadas as usar estrelas amarelas.

A história tardia do comunismo, quando ninguém mais acreditava na revolução, oferece uma última lição sobre símbolos. Até quando os cidadãos estão desanimados e só querem ser deixados em paz, marcadores públicos ainda podem ser usados como forma de sustentação de um regime tirânico. Quando os comunistas tchecoslovacos ganharam as eleições de 1946 e passaram a reivindicar o poder total depois de um golpe em 1948, muitos cidadãos ficaram eufóricos. Três décadas depois, em 1978, o pensador dissidente Václav Havel escreveu o ensaio "O poder dos sem poder" para explicar a continuidade de um regime opressivo em cujas metas e ideologia poucos ainda acreditavam. Nessa obra, Havel narra a parábola de um comerciante que pôs na janela de sua quitanda uma placa em que se lia: "Proletariados de todo o mundo, uni-vos!".

Na verdade, o homem não endossava o conteúdo dessa citação do *Manifesto comunista*. Ele pôs a placa na janela para poder dedicar-se à sua vida diária sem ser perturbado pelas autoridades. Quando todos os demais seguem a mesma lógica, a esfera pública fica coberta de sinais de adesão, e a resistência se torna impensável. Nas palavras de Havel:

> Vimos que o sentido real da placa do quitandeiro não tem nada a ver com o que o texto diz. Ainda assim, o sentido real fica muito claro e compreensível para a maioria das pessoas, pois o código é muito familiar: o quitandeiro declara sua lealdade da única forma como o regime é capaz de ouvir. Ou seja, aceitando o ritual, aceitando as aparências como realidade, aceitando as regras do jogo dadas, o que possibilita que o jogo prossiga e que, sobretudo, o jogo exista.

E o que acontece, pergunta Havel, se ninguém joga o jogo?

5. Lembre-se da ética profissional

Quando os líderes políticos dão um exemplo negativo, os compromissos profissionais com uma prática honesta tornam-se mais importantes. É difícil subverter um Estado baseado no império da lei sem advogados ou realizar julgamentos de fachada sem juízes. Os governantes autoritários precisam de funcionários públicos obedientes, e os comandantes dos campos de concentração procuram empresários interessados em mão de obra barata.

Antes da Segunda Guerra Mundial, um homem chamado Hans Frank era o advogado pessoal de Hitler. Depois que a Alemanha invadiu a Polônia, em 1939, Frank tornou-se governador-geral da Polônia ocupada, uma colônia alemã onde milhões de judeus e outros cidadãos poloneses foram assassinados. Certa vez, Frank gabou-se de que não existiam árvores suficientes para fabricar o papel dos cartazes que seriam necessários para anunciar todas as execuções. Frank alegava que o direito existia para servir à raça, e o que parecia bom para a raça era lei. Com argumentos análogos, os advogados alemães podiam convencer-se de que as leis e as normas existiam para servir a seus projetos de conquista e destruição, e não para ocultá-los.

O homem que Hitler escolheu para supervisionar a anexação da Áustria, Arthur Seyss-Inquart, era um advogado que mais tarde comandou a ocupação da Holanda. Havia um número desproporcional de advogados entre os líderes dos *Einsatzgruppen* — as forças-tarefas especiais que executaram o assassinato em massa de judeus, ciganos, comunistas, deficientes físicos e de outros grupos, como as elites polonesas. Médicos alemães (e de outras nacionalidades) participavam de medonhos experimentos nos campos de concentração. Diretores da IG Farben e de outras empresas alemãs exploraram o trabalho de internos de campos de concentração, de judeus de guetos e de prisioneiros de guerra. Servidores civis, de ministros a secretários, supervisionavam e registravam tudo.

Se os advogados tivessem seguido a norma que proibia execuções sem julgamento, se os médicos tivessem obedecido à regra que proíbe cirurgias sem consentimento, se os executivos tivessem endossado a proibição da escravidão e se os burocratas tivessem se recusado a processar a documentação que envolvia os assassinatos, o regime nazista teria enfrentado muito mais dificuldades para dar cabo das atrocidades pelas quais é lembrado.

As profissões liberais podem criar formas de diálogo ético que são impossíveis entre um indivíduo isolado e um governo distante. Se os membros das profissões liberais se virem como grupos com interesses comuns, com normas e regras a que estão obrigados a obedecer sempre, podem adquirir confiança e uma certa forma de poder. A ética profissional deve nos guiar precisamente quando nos dizem que a situação é excepcional. Nesse caso ninguém poderá dizer que estava "apenas seguindo ordens". Por outro lado, se os profissionais liberais confundem sua ética específica com as emoções do momento, podem acabar dizendo e fazendo coisas que antes teriam julgado inimagináveis.

6. Cuidado com grupos paramilitares

Quando pessoas armadas que sempre afirmaram ser contra o sistema começam a usar uniformes e a desfilar com tochas e retratos de um líder, o fim está próximo. Quando o grupo paramilitar favorável ao líder se unir à polícia e às Forças Armadas oficiais, o fim chegou.

A maior parte dos governos, durante a maior parte do tempo, procura deter o monopólio da violência. Se apenas o governo pode, legitimamente, usar a força, e se esse uso for regido pela lei, as formas de política que aceitamos como naturais tornam-se possíveis. É impossível realizar eleições democráticas, julgar causas em tribunais, formular e fazer cumprir leis ou até levar a efeito qualquer outra atividade de governo quando organizações que não sejam do Estado também têm o direito de usar a violência. Justamente por isso as pessoas e os partidos que desejam minar a democracia e o Estado de direito criam e financiam organizações violentas que se envolvem na política. Esses grupos podem assumir a forma de uma ala paramilitar de um partido político, de guarda pessoal de um político ou de iniciativas cívicas aparentemente espontâneas, mas que com o tempo mostram ter sido criadas por um partido ou por seu líder.

Os grupos armados primeiro degradam a ordem política, e depois a transformam. Grupos direitistas violentos, como a Guarda de Ferro na Romênia no entreguerras, ou como a Cruz Flechada húngara, no mesmo período, usavam a intimidação contra seus rivais. As tropas de choque nazistas começaram como um destacamento que retirava os adversários de Hitler dos locais onde o partido fazia seus comícios. Do mesmo modo que organizações paramilitares, como a SA e a SS, criavam um clima de medo que ajudou o Partido Nazista nas eleições parlamentares de 1932 e 1933. Na Áustria, em 1938, foi a SA local que logo tirou proveito da ausência da habitual autoridade local para saquear, surrar e humilhar judeus, mudando com isso as regras da política e preparando o caminho para a ocupação do país pelos nazistas. Foi a SS que administrou os campos de concentração alemães — zonas sem lei onde as normas de costume não valiam. Durante a Segunda Guerra Mundial, a SS levou a todos os países europeus ocupados pelos alemães a ilegalidade que implantara nos campos de concentração. A SS surgiu como uma organização fora da lei, tornou-se uma organização que transcendia a lei e acabou como uma organização que desfazia a lei.

O uso da violência nos Estados Unidos está demasiadamente privatizado, isso porque o governo federal americano se vale dos serviços de mercenários em guerras e os governos estaduais pagam a empresas para administrar prisões. A novidade é um presidente que deseja manter, durante o mandato, uma equipe de segurança pessoal que durante a campanha usou de força bruta contra adversários. Como candidato, o presidente ordenou que um pelotão de seguranças particulares retirasse oponentes de comícios e também incentivou o próprio público a expulsar pessoas que expressassem opiniões diferentes. Quem protestasse era, primeiro, alvo de vaias, em seguida de gritos frenéticos de "usa" e depois era obrigado a deixar o local. Num dos comícios de campanha, o candidato disse: "Ainda ficou um aí. Tentem retirá-lo. Tirem o que ficou". Obedecendo sem hesitar, a multidão começou a expulsar pessoas que pudessem ser contrárias ao candidato, sem parar de gritar "usa". O candidato interveio: "Não é mais divertido do que um comício chato igual a todos os outros? Para mim, é divertido". Esse tipo de violência grupal tinha como intenção transformar o clima político, e conseguiu seu intento.

Para que a violência transforme não só o clima político como também o sistema, as emoções dos comícios e a ideologia de exclusão precisam ser incorporadas ao treinamento de guardas armados. Esses guardas primeiro desafiam a polícia e as Forças Armadas, depois se infiltram nessas organizações e por fim as transformam.

7. Se você tiver que portar armas, reflita

Se você é obrigado a *portar uma arma no serviço público, que Deus o proteja e guarde. Mas saiba que males do passado envolveram policiais e soldados que um dia se viram cometendo atos irregulares. Esteja pronto para dizer não.*

Os regimes autoritários em geral contam com uma força policial de choque, cuja tarefa consiste em dispersar cidadãos que procuram protestar, e uma polícia secreta cujas missões incluem o assassinato de dissidentes e de outras pessoas designadas como inimigas. E de fato encontramos forças do segundo tipo por trás de algumas das maiores atrocidades do século XX, como o Grande Terror na União Soviética, em 1937-8, e o Holocausto dos judeus europeus pela Alemanha nazista, em 1941-5. No entanto, seria um grande engano imaginarmos que a NKVD soviética e a SS nazista agiam sem apoio. Sem a assistência de forças policiais regulares e, às vezes, de soldados das Forças Armadas, essas organizações não poderiam ter empreendido uma matança em tamanha escala.

No Grande Terror na União Soviética, comandantes da NKVD registraram 682 691 execuções de supostos inimigos do Estado, na maioria camponeses ou membros de minorias nacionais. É possível que a NKVD daqueles anos tenha sido o órgão de violência mais centralizado e bem organizado na história. Apenas um pequeno número de homens disparava os tiros na nuca, o que significa que alguns integrantes da organização tinham milhares de assassinatos políticos nas costas. Ainda assim, não teria sido possível que realizassem suas campanhas sem a assistência de forças policiais municipais, de profissionais do direito e de funcionários públicos de toda a União Soviética. O Grande Terror ocorreu durante um estado de exceção que exigiu que todos os policiais se subordinassem à NKVD e às suas tarefas especiais. Os policiais não eram os encarregados da matança, mas eram uma mão de obra indispensável.

O Holocausto nazista evoca para nós imagens de Auschwitz e de assassinatos impessoais e mecanizados. Essa foi uma forma conveniente para que os alemães recordassem o Holocausto, uma vez que podiam alegar que poucos deles, na época, sabiam exatamente o que acontecia por trás daqueles muros. Na verdade, o Holocausto teve início não nos fornos crematórios, mas nas valas comuns em que eram sepultadas as vítimas de execuções a tiros no Leste Europeu. E, inclusive, alguns comandantes dos *Einsatzgruppen*, as forças-tarefas alemãs que cometiam alguns desses assassinatos, foram julgados em Nuremberg e, mais tarde, em tribunais da Alemanha Ocidental. No entanto, mesmo nesses julgamentos houve uma espécie de minimização da escala do crime. Não só os comandantes da SS como, em essência, todos os milhares de homens que serviram sob suas ordens eram assassinos.

E isso foi só o começo. Todas as execuções em grande escala do Holocausto (mais de 33 mil judeus assassinados perto de Kiev, mais de 28 mil perto de Riga etc. etc.) envolveram as forças policiais regulares alemãs. Ao todo, os membros das corporações de polícia assassinaram mais judeus do que os *Einsatzgruppen*. Muitos deles não receberam nenhum preparo especial para essa tarefa. Estavam em lugares desconhecidos, tinham recebido ordens e não queriam parecer fracos. Nos raros casos em que se recusaram a cumprir ordens de assassinar judeus, os policiais não foram punidos.

Alguns matavam por ter índole assassina. Mas muitos outros estavam apenas com medo de atrair uma atenção negativa. Além do conformismo, outras forças também desempenharam um papel. Mas, sem os conformistas, as grandes atrocidades não teriam acontecido.

8. Destaque-se

Alguém precisa tomar a frente. É fácil acompanhar a maioria. Pode parecer estranho fazer ou dizer algo diferente. Mas sem essa inquietação não existe liberdade. No momento em que você dá o exemplo, quebra-se o encanto exercido pelo statu quo, e outros o imitarão.

Depois da Segunda Guerra Mundial, europeus, americanos e outros pelo mundo afora criaram mitos de resistência virtuosa a Hitler. Na década de 1930, porém, as posturas predominantes eram de acomodação e admiração. Em 1940, a maioria dos europeus aceitava o poder aparentemente irresistível da Alemanha nazista. Americanos influentes, como Charles Lindbergh, opunham-se à guerra contra os nazistas, brandindo uma palavra de ordem: "Os Estados Unidos primeiro". Os que hoje recordamos e admiramos são aqueles que eram considerados excepcionais, excêntricos ou mesmo insanos em sua época — aqueles que se recusavam a mudar enquanto o mundo ao redor se transformava.

Bem antes da Segunda Guerra Mundial, diversos países europeus trocaram a democracia por alguma forma de autoritarismo de direita. A Itália tornou-se o primeiro Estado fascista em 1922, e foi um aliado militar da Alemanha. A Hungria, a Romênia e a Bulgária se deixaram atrair pela Alemanha com promessas de acordos de comércio e novos territórios. Em março de 1938, nenhuma das grandes potências ofereceu resistência quando a Alemanha anexou a Áustria. Em setembro de 1938, as grandes potências — França, Itália e Grã-

-Bretanha, governada então por Neville Chamberlain — chegaram a cooperar com a Alemanha nazista na partilha da Tchecoslováquia. No verão de 1939, a União Soviética aliou-se à Alemanha nazista, e o Exército Vermelho juntou-se à *Wehrmacht* na invasão da Polônia. O governo polonês preferiu lutar, ativando acordos diplomáticos previamente assinados que levaram a Grã-Bretanha e a França à guerra. A Alemanha, abastecida de alimentos e combustíveis pela União Soviética, invadiu e rapidamente ocupou a Noruega, a Holanda, a Bélgica e até a França, no primeiro semestre de 1940. O restante da Força Expedicionária Britânica foi evacuado do continente, em Dunquerque, no fim de maio e começo de junho de 1940.

Quando Winston Churchill tornou-se primeiro-ministro, em maio de 1940, a Grã-Bretanha estava sozinha. Os britânicos não tinham vencido batalhas relevantes e não contavam com aliados de peso. Entraram na guerra em apoio à Polônia, uma causa que parecia perdida. A Alemanha nazista e sua aliada soviética dominavam o continente. A União Soviética tinha invadido a Finlândia em novembro de 1939, começando com um bombardeio de Helsinki. Logo depois que Churchill assumiu o governo britânico, a União Soviética ocupou e anexou os três países bálticos (Estônia, Letônia e Lituânia). Os Estados Unidos ainda não estavam na guerra.

Adolf Hitler não demonstrava nenhuma animosidade especial em relação à Grã-Bretanha ou ao seu império, e na verdade imaginava uma divisão do mundo em esferas de interesses. Esperava que Churchill aceitasse uma composição depois da queda da França. Não foi o que Churchill fez. Ele disse aos franceses: "não importa o que vocês fizerem, vamos lutar sempre e para sempre".

Em junho de 1940, Churchill declarou ao Parlamento britânico que "a batalha da Grã-Bretanha está prestes a começar". A *Luftwaffe* alemã passou a bombardear cidades inglesas. Hitler esperava que isso forçasse Churchill a assinar um armistício, mas estava enganado. Churchill mais tarde referiu-se à campanha aérea como "uma época em que dava no mesmo viver ou morrer". Falou sobre "o temperamento otimista e imperturbável da Grã-Bretanha, que tive a honra de expressar". Na verdade, foi o próprio primeiro-ministro que ajudou os britânicos a se definirem como um povo altivo que resistiria com tranquilidade ao mal. Outros políticos teriam buscado o apoio da opinião pública britânica para pôr fim à guerra. Em vez disso, Churchill resistiu, inspirou e venceu. A Real Força Aérea (com a ajuda de dois esquadrões poloneses e de vários outros pilotos estrangeiros) rechaçou a *Luftwaffe*. Sem o controle do ar, nem mesmo Hitler poderia imaginar uma invasão anfíbia da Grã-Bretanha.

Churchill fez o que outros não tinham feito. Em vez de conceder de antemão, obrigou Hitler a mudar seus planos. Em essência, a estratégia alemã fora, até então, eliminar toda resistência no Ocidente e, depois, invadir (e assim trair) a União Soviética e colonizar seus territórios europeus. Em junho de 1941, ainda em guerra com a Grã-Bretanha, a Alemanha atacou seu aliado soviético.

Berlim se viu numa guerra em duas frentes, e Moscou e Londres se tornavam, de um momento para outro, aliados inesperados. Em dezembro de 1941, o Japão bombardeou a base naval americana em Pearl Harbor, no Havaí, e os Estados Unidos entraram na guerra. Moscou, Washington e Londres assim formaram uma pujante e irresistível coalizão. Juntas, e com a ajuda de muitos outros aliados, essas três grandes potências venceram a Segunda Guerra Mundial. Mas, se Churchill não tivesse mantido a Grã-Bretanha na guerra em 1940, sequer teria havido guerra.

Churchill afirmou que a história seria bondosa com ele, pois pretendia escrevê-la pessoalmente. No entanto, em suas vastas histórias e memórias, ele apresentou suas próprias decisões como óbvias e deu todo o crédito ao povo britânico e aos aliados da Grã-Bretanha. Hoje, o que Churchill fez parece normal — e correto. Mas, na época, ele foi obrigado a se destacar dos demais.

É claro que a Grã-Bretanha só estava na guerra porque o governo polonês decidira lutar em setembro de 1939. A resistência armada polonesa foi superada logo em outubro. Em 1940, o caráter da ocupação alemã estava se tornando claro em Varsóvia, a capital do país.

Teresa Prekerowa deveria terminar o ensino médio naquele ano. Sua família perdera sua propriedade, tomada pelos alemães, e teve de se mudar para Varsóvia e pagar aluguel. Seu pai foi preso. Um dos seus tios morreu em combate. Dois dos seus irmãos estavam em campos de prisioneiros de guerra. Varsóvia como um todo tinha sofrido bastante com a campanha aérea alemã, que matara cerca de 25 mil pessoas.

Teresa, ainda muito jovem, destacou-se entre os amigos e a família em sua reação a esse horror. Numa época em que seria natural pensar apenas em si mesma, ela se preocupou com os outros. No fim de 1940, os alemães começaram a criar guetos na parte da Polônia sob seu controle. Em outubro daquele ano, exigiram que os judeus de Varsóvia e arredores se mudassem para um certo bairro da cidade. Um dos irmãos de Teresa era amigo de uma moça judia e de sua família antes da guerra. Teresa notou que as pessoas agora se calavam quando os amigos judeus sumiam da vida delas.

Sem nada dizer à família e arriscando sua segurança, Teresa decidiu entrar no gueto de Varsóvia uma dúzia de vezes no fim de 1940, levando comida e remédios para judeus que conhecia e que não conhecia. No fim daquele ano, convenceu a amiga de seu irmão a fugir do gueto. Em 1942, Teresa ajudou os pais e o irmão da moça a fugirem também. Entre julho e setembro desse ano, os alemães realizaram, no gueto de Varsóvia, o que chamaram de "Grande Ação", deportando 265 040 judeus para serem mortos no abatedouro de Treblinka e matando outros 10 380 judeus no próprio gueto. Teresa salvou uma família da morte certa.

Teresa Prekerowa mais tarde tornou-se uma historiadora do Holocausto, escrevendo sobre o gueto de Varsóvia e sobre outras pessoas que ajudaram os judeus. Mas preferiu não escrever sobre si mesma. Muito mais tarde, convidada a falar sobre a própria vida, classificou suas ações como normais. Sob a nossa perspectiva, suas ações parecem excepcionais. Ela resistiu e destacou-se dos demais.

9. Trate bem a língua

Evite proferir as frases que todo mundo usa. Reflita sobre sua maneira de falar, mesmo que apenas para transmitir aquilo que você acha que todos estão dizendo. Faça um esforço para afastar-se da internet. Leia livros.

Victor Klemperer, intelectual de origem judaica, voltou sua formação filológica contra a propaganda nazista. Notou que a linguagem de Hitler rejeitava a oposição legítima: a expressão *o povo* sempre significava algumas pessoas e não outras (o atual presidente americano a usa dessa forma), os conflitos eram sempre *lutas* (o presidente diz *vitórias*) e qualquer tentativa por parte de indivíduos livres para ver o mundo de uma maneira diferente era *difamação* do líder (ou, como diz o presidente, *calúnia*).

Em nossa época, os políticos levam seus chavões para a televisão, onde até aqueles que desejam discordar os repetem. A televisão pretende superar a linguagem da política mediante a transmissão de imagens, mas os saltos sucessivos de um quadro para outro podem prejudicar um senso de conclusão. Tudo acontece depressa, mas nada acontece de verdade. Toda notícia no telejornal é "urgente", mas só até ser desbancada pela notícia seguinte. Com isso, somos atingidos por uma onda atrás da outra, mas nunca vemos o oceano.

O esforço para definir a forma e o significado dos fatos requer palavras e conceitos que nos fogem quando estamos hipnotizados por estímulos visuais. Ver notícias na televisão às vezes equivale a pouco mais do que olhar para uma pessoa que também está olhando para uma imagem. Consideramos esse transe coletivo uma coisa normal. Caímos nele lentamente.

Há mais de meio século, os romances clássicos sobre o totalitarismo advertiram quanto à dominação das telas, à supressão dos livros, ao estreitamento do vocabulário e às dificuldades subsequentes de pensar. Em *Fahrenheit 451*, de Ray Bradbury, publicado em 1953, bombeiros procuram e queimam livros, enquanto a maioria dos cidadãos assiste à televisão interativa. Em *1984*, de George Orwell, publicado em 1949, os livros são proscritos e os televisores são, ao mesmo tempo, receptores e transmissores, o que permite ao governo vigiar os cidadãos constantemente. Em *1984*, a linguagem dos meios visuais é altamente limitada, de modo a negar ao público os conceitos necessários para refletir sobre o presente, recordar o passado e antever o futuro. Um dos projetos do regime consiste em limitar a linguagem ainda mais, eliminando um número cada vez maior de palavras a cada edição do dicionário oficial.

Olhar para telas talvez possa ser inevitável, mas

o mundo bidimensional faz pouco sentido, a menos que possamos recorrer a um arsenal mental formado em outro lugar. Quando repetimos as mesmas palavras e frases que aparecem nos meios de comunicação diários, aceitamos a ausência de um quadro referencial maior. Dispor desse quadro referencial exige mais conceitos, e ter mais conceitos exige leitura. Por isso, afaste as telas de sua vida e cerque-se de livros. Os personagens dos livros de Orwell e Bradbury não podiam fazer isso — mas nós ainda podemos.

O que ler? Qualquer bom romance estimula nossa capacidade de pensar sobre situações ambíguas e de julgar as intenções alheias. *Os irmãos Karamázov*, de Dostoiévski, e *A insustentável leveza do ser*, de Milan Kundera, talvez sejam adequados a nosso momento. O romance *Não vai acontecer aqui*, de Sinclair Lewis, talvez não seja uma grande obra de arte. *Complô contra a América*, de Philip Roth, é melhor. Um romance conhecido por milhões de jovens americanos e que oferece um relato de tirania e resistência é *Harry Potter e as relíquias da morte*, de J. K. Rowling. Se você, seus amigos ou seus filhos não o entenderam assim da primeira vez, vale a pena lê-lo de novo.

Cito a seguir alguns textos políticos e históricos em que se baseiam os argumentos apresentados aqui: "A política e a língua inglesa", de George Orwell (1946); *A linguagem do Terceiro Reich*, de Victor Klemperer (1947); *Origens do totalitarismo*, de Hannah Arendt (1951); *O homem revoltado*, de Albert Camus (1951); *Mente cativa, de* Czesław Miłosz (1953); "O poder dos sem poder", de Václav Havel (1978); "How to Be a Conservative-Liberal-Socialist" [Como ser um conservador-liberal-socialista], de Leszek Kołakowski (1978); *The Uses of Adversity* [Os usos da adversidade], de Timothy Garton Ash (1989); *O peso da responsabilidade*, de Tony Judt (1998); *Ordinary Men* [Homens comuns], de Christopher Browning (1992); e *Nothing Is True and Everything Is Possible* [Nada é verdade e tudo é possível], de Peter Pomerantsev (2014).

Os cristãos podem retornar ao seu livro fundamental, que sempre é muito oportuno. Jesus ensinou que "é mais fácil um camelo passar através do buraco de uma agulha do que um rico entrar no reino de Deus". Devemos ser modestos, porque "quem se exaltar será humilhado e quem se humilhar será exaltado". E é claro que temos de nos preocupar com o que é verdadeiro e com o que é falso: "e conhecereis a verdade, e a verdade vos libertará".

10. Acredite na verdade

Abandonar os fatos é abandonar a liberdade. Se nada for verdadeiro, ninguém poderá criticar o poder, porque não haverá uma base para fazê-lo. Se nada for verdadeiro, tudo é espetáculo. A carteira mais recheada garante a pirotecnia mais ofuscante.

Renunciar à diferença entre o que se quer ouvir e o que de fato é verdadeiro é uma maneira de se submeter à tirania. Essa recusa à realidade pode parecer natural e agradável, mas o resultado é o seu fim como indivíduo — e, assim, o colapso de qualquer sistema político que dependa do individualismo. Segundo constataram os estudiosos do totalitarismo, como Victor Klemperer, a verdade morre de quatro modos, e acabamos de ver todos eles.

O primeiro modo é a hostilidade aberta à realidade verificável, apresentando invenções e mentiras como se fossem fatos. O atual presidente dos Estados Unidos faz isso com uma frequência elevada e num ritmo intenso. Durante a campanha de 2016, uma pesquisa sobre seus pronunciamentos detectou que 78% de suas declarações factuais eram falsas. Essa proporção é tão alta que faz com que suas afirmações corretas pareçam descuidos involuntários no caminho que leva à ficção total. Ignorar o mundo real dá início à criação de um antimundo ficcional.

O segundo modo de assassinar a verdade é o encantamento xamanista. Como notou Klemperer, o estilo fascista baseia-se na "repetição interminável", destinada a tornar o ficcional plausível e a conduta criminosa, desejável. O uso sistemático de apelidos como "Ted Loroteiro" e "Hillary Fajuta" substitui certos traços de caráter que poderiam ser, com mais propriedade, atribuídos ao próprio presidente. Entretanto, mediante uma repetição embotadora no Twitter, o presidente americano conseguiu transformar indivíduos em estereótipos, aos quais muitas pessoas aderiram em altos brados. Em comícios, os gritos repetidos de "Construa esse muro" e "Ponha-a na cadeia" não descreviam nada que o presidente tivesse planos específicos para fazer, mas sua fanfarrice criava uma conexão entre ele e seu público.

O terceiro modo é o pensamento mágico ou a adoção aberta da contradição. A campanha do presidente envolveu promessas de redução de impostos para todos, eliminação da dívida pública e aumento dos gastos em políticas sociais e defesa nacional. Essas promessas estão em clara contradição umas com as outras. É como se um fazendeiro dissesse que vai pegar um ovo no galinheiro, primeiro cozinhá-lo e servi-lo à sua mulher, depois fritá-lo e servi-lo aos filhos e, por fim, devolvê-lo ao galinheiro intacto e vigiá-lo até que o pintinho nasça.

Aceitar inverdades tão radicais exige um abandono flagrante da racionalidade. As narrativas de

Klemperer sobre como perdeu amigos na Alemanha, em 1933, devido a discussões sobre o pensamento mágico parecem hoje assustadoramente atuais. Um de seus ex-alunos fez-lhe um apelo para "confiar em seus sentimentos, e sempre se concentrar na grandeza do Führer, e não no incômodo que está sentindo no momento". Doze anos mais tarde, após todas as atrocidades e no fim de uma guerra que a Alemanha tinha claramente perdido, um soldado amputado disse a Klemperer que Hitler "nunca disse uma só mentira. Eu acredito em Hitler".

O último modo é a exploração indevida da fé. Isso envolve tipos de afirmações autodivinizantes que o presidente fez ao dizer "Só eu posso resolver isso" ou "Eu sou a voz de vocês". Quando o sentimento fé se desloca dessa maneira do céu à terra, não sobra espaço para as pequenas verdades de nosso discernimento e experiências individuais. O que aterrorizava Klemperer era a maneira como essa transição parecia definitiva. Depois que a verdade se tornava oracular, em vez de factual, as evidências eram irrelevantes. No fim da guerra, um trabalhador declarou a Klemperer que "compreender é inútil, é preciso ter fé. Eu acredito no Führer".

Eugène Ionesco, o grande dramaturgo romeno, um dos criadores do "teatro do absurdo", viu vários de seus amigos, um depois do outro, se perderem na linguagem do fascismo na década de 1930. Essa experiência tornou-se a base de sua peça O *rinoceronte*, na qual os que são vitimados pela propaganda transformam-se em gigantescos animais com chifres. A respeito de suas próprias experiências, Ionesco escreveu:

> Professores universitários, estudantes e intelectuais estavam abraçando o nazismo, tornando-se Guardas de Ferro, um depois do outro. No começo, com certeza não eram nazistas. Cerca de quinze de nós nos juntávamos para conversar e tentar encontrar argumentos que se opusessem aos deles. Não era fácil. [...] De vez em quando, um de nossos amigos dizia: "Eu não concordo com eles, é claro, mas em relação a certos pontos, entretanto, tenho de admitir... Por exemplo, os judeus [...]" etc. E isso era um sintoma. Três semanas depois, a pessoa aderia ao nazismo. Inseria-se no sistema, aceitava tudo, tornava-se um rinoceronte. Já perto do fim, somente três ou quatro de nós ainda resistíamos.

O objetivo de Ionesco era nos ajudar a ver o quanto a propaganda era bizarra, mas parecia normal àqueles que se rendiam a ela. Ao utilizar a imagem absurda do rinoceronte, Ionesco tentava chocar o público e fazê-lo perceber a estranheza do que realmente estava acontecendo.

Os rinocerontes continuam vagando por nossas savanas neurológicas. Estamos agora muito preocupados com o que chamamos de "pós-verdade" e tendemos a pensar que o desprezo pelos fatos cotidianos e a construção de realidades alternativas sejam algo novo ou pós-moderno. Contudo, há pouca coisa aqui que George Orwell não tenha captado há sete décadas com sua ideia de "duplipensar". Dentro dessa filosofia, a pós-verdade restaura precisamente a postura fascista em relação à verdade — e é por isso que nada deste mundo espantava Klemperer ou Ionesco.

Os fascistas desprezavam as pequenas verdades da experiência cotidiana, amavam palavras de ordem que ressoavam como uma nova religião e preferiam mitos de criação à história ou ao jornalismo. Usavam os novos meios de comunicação, representados na época pelo rádio, para criar uma propaganda que apelasse aos sentimentos antes que as pessoas tivessem tempo para pensar. E hoje, como naquela época, muitas pessoas confundiram a fé num líder cheio de enormes defeitos com a verdade sobre o mundo em que todos vivemos.

A pós-verdade é o pré-fascismo.

11. Investigue

Reflita sozinho sobre as coisas. Dedique mais tempo aos artigos longos. Prestigie o jornalismo investigativo assinando jornais e revistas. Perceba que parte do que a internet oferece está ali para enganá-lo. Descubra páginas na rede que investigam campanhas de propaganda (algumas dessas campanhas vêm do exterior). Responsabilize-se pelo que você comunica às pessoas.

"O que é a verdade, afinal?" Às vezes as pessoas fazem essa pergunta porque não querem fazer nada. Aderindo ao cinismo genérico nos sentimos descolados e alternativos, mesmo quando afundamos com nossos concidadãos num atoleiro de indiferença. É a sua capacidade de discernir fatos que faz de você um indivíduo, da mesma forma que é a nossa confiança coletiva num conhecimento comum que faz de nós uma sociedade. O indivíduo que investiga é também o cidadão que constrói. O governante que deprecia quem investiga é um tirano em potencial.

Durante a última campanha, o presidente americano afirmou num veículo de propaganda russo que, nos Estados Unidos, "os meios de comunicação têm sido inacreditavelmente desonestos". Ele barrou muitos repórteres em seus comícios e incitou continuamente o ódio aos jornalistas. Como os ditadores de regimes autoritários, prometeu suprimir a liberdade de expressão mediante leis que impedissem críticas. Como Hitler, o presidente empregou a palavra *mentiras* para designar declarações factuais que não lhe agradavam, e retratou o jornalismo como uma campanha pessoal contra ele. O presidente tratou com mais brandura a internet, a fonte das informações errôneas que repassou para milhões de pessoas.

Em 1971, diante das mentiras ditas nos Estados Unidos a respeito da Guerra do Vietnã, a cientista política Hannah Arendt se apegou ao poder inerente dos fatos para superar falsidades numa sociedade livre: "Em circunstâncias normais, [...] o mentiroso é derrotado pela realidade, pela imensidão da factualidade, que não pode ser encoberta pelo tecido da mentira. [...] Por maior que seja a trama de falsidade que um mentiroso experiente tenha a oferecer, ela nunca será grande o bastante, mesmo que ele conte com a ajuda de computadores, para cobrir a imensidão da veracidade". A referência aos computadores deixou de ser verdadeira. Na eleição presidencial de 2016, o mundo bidimensional da internet foi mais importante que o mundo tridimensional do contato humano. Pessoas que iam de porta em porta para fazer pesquisas de opinião ou angariar votos eram recebidas por cidadãos americanos espantados, que se davam conta de que teriam de falar de política com um ser humano de carne e osso, em vez de ver suas opiniões validadas por postagens no Facebook. No mundo bidimensional da internet, surgiram novas coletividades, invisíveis à luz do dia — tribos com diferentes visões do mundo, entregues a manipulações. (E, sim, há uma conspiração que se pode encontrar on-line: a conspiração para mantê-lo conectado, à procura de conspirações.)

Precisamos de jornalistas de meios de comunicação impressos, para que as reportagens possam ser desenvolvidas em suas páginas e em nossa mente. Qual será o significado, por exemplo, de um presidente dizer que as mulheres pertencem "ao lar", que a gravidez é uma "inconveniência", que as mães não se dedicam "cem por cento" ao trabalho, que as mulheres deveriam ser punidas por abortar, que as mulheres são "porcas", "relaxadas" ou "cadelas", e que é admissível atacá-las sexualmente? O que significa que seis das empresas do presidente tenham falido, e que empreendimentos seus tenham recebido transferências misteriosas de dinheiro proveniente de entidades da Rússia e do Cazaquistão? Podemos tomar conhecimento dessas coisas através de vários meios de comunicação. No entanto, quando ficamos sabendo a respeito numa tela, tendemos a ser arrastados pela lógica do espctáculo. A informação sobre um escândalo aguça nosso apetite pelo próximo. Assim que aceitamos subliminarmente que estamos diante de um *reality show*, em vez da vida real, nenhuma imagem pode ferir de fato, do ponto de vista político, o presidente. Os *reality shows* da televisão precisam tornar-se mais dramáticos a cada episódio. Se já encontramos um vídeo do presidente executando uma dança cossaca enquanto Vladimir Pútin bate palmas, é provável que exigíssemos a mesma coisa com o presidente usando uma fantasia de urso e segurando rublos na boca.

Os melhores jornalistas de veículos impressos permitem-nos considerar o significado, para nós e para o nosso país, de coisas que de outra forma poderíamos ver como informações isoladas. Mas, se por um lado qualquer pessoa pode passar adiante um artigo, pesquisar, e escrever é um trabalho duro, que exige tempo e dinheiro. Antes de ridicularizar a "corrente dominante" do jornalismo, observe que ela não é mais dominante. O que é dominante e fácil é a ridicularização, o jornalismo de verdade é restritivo e difícil. Por isso, experimente você mesmo escrever uma matéria digna do nome, que envolva ter trabalho no mundo real: viajar, entrevistar pessoas, manter relações com as fontes, pesquisar em arquivos, verificar tudo e revisar rascunhos, tudo isso dentro de um prazo apertado e inadiável. Se você achar que gosta, crie um blog. Nesse meio-tempo, dê crédito àqueles que fazem tudo isso para ganhar a vida. Os jornalistas não são pessoas perfeitas, da mesma forma que outros profissionais não são perfeitos. Mas o trabalho das pessoas que praticam um jornalismo ético tem uma qualidade diferente do jornalismo de quem não se preocupa com isso.

Consideramos natural pagar pelos serviços de um eletricista ou de um mecânico, mas queremos receber as notícias de graça. Se não pagarmos ao eletricista ou ao mecânico, não podemos ter luz em casa ou usar o carro. Por que, então, haveríamos de formar nossa opinião política com base em investimento zero? Recebemos aquilo pelo qual pagamos.

Se buscarmos os fatos, a internet nos proporcionará um poder invejável de divulgá-los. Os estudiosos citados aqui não dispunham de nada disso. Leszek Kołakowski, o grande filósofo e historiador polonês, autor da epígrafe deste livro, perdeu sua cátedra na Universidade de Varsóvia por se manifestar contra o regime comunista, e não pôde publicar mais nada. A primeira citação deste livro, de Hannah Arendt, foi tirada de um panfleto intitulado "Nós, refugiados", um trabalho impressionante escrito por uma fugitiva de um regime assassino como o nazista. Um espírito brilhante como Viktor Klemperer, muito admirado hoje, só é lembrado porque escreveu obstinadamente em seu diário durante o regime nazista. Era aquilo que o mantinha vivo: "Meu diário era minha vara de equilíbrio, sem a qual eu teria caído mil vezes". Václav Havel, o mais importante pensador entre os dissidentes comunistas da década de 1970, dedicou seu ensaio mais importante, "O poder dos sem poder", a um filósofo que morreu pouco depois de ser interrogado pela polícia secreta comunista da Tchecoslováquia. Na Tchecoslováquia comunista, esse panfleto teve de circular ilegalmente, com poucas cópias, na forma daquilo que os europeus do leste, acompanhando os dissidentes russos, chamavam de *samizdat*.

"Se o pilar principal do sistema é viver uma mentira", escreveu Havel, "não surpreende que a maior ameaça a ele seja viver na verdade." Como na era da internet todos nós somos editores, cada um de nós arca com uma certa responsabilidade privada pelo senso de verdade do público. Se adotarmos uma postura de seriedade na busca dos fatos, cada um de nós pode fazer uma pequena revolução na forma como a internet funciona. Se procurar por fatos comprovados, você não enviará informações falsas a outras pessoas. Se preferir acompanhar jornalistas nos quais tem motivos para confiar, pode também recomendar a outras pessoas o que eles publicaram. Se retuitar somente o trabalho de pessoas que respeitam protocolos jornalísticos, é menos provável que você rebaixe seu pensamento interagindo com robôs ou *trolls*.

Não vemos as mentes que prejudicamos quando publicamos informações falsas, mas isso não quer dizer que não lhes façamos mal. Imaginemos que estamos dirigindo um carro. Podemos não ver o outro motorista, mas sabemos que não devemos bater no carro dele. Sabemos que o dano será mútuo. Protegemos outras pessoas sem vê-las, muitas e muitas vezes, todos os dias. Da mesma forma, embora não possamos ver a outra pessoa diante de seu computador, temos nossa parcela de responsabilidade pelo que ela está lendo. Se aprendermos a não violentar a mente de desconhecidos na internet, outros aprenderão a fazer o mesmo. Assim, talvez nosso tráfego na internet deixe de parecer um grande e sangrento acidente.

12. FAÇA CONTATO VISUAL E CONVERSE SOBRE GENERALIDADES

Não é apenas por educação. É parte do sentido de ser um cidadão e um membro responsável da sociedade. É também uma forma de se manter em contato com seu ambiente, quebrar barreiras sociais e compreender em quem você deve e não deve confiar. Se entrarmos numa cultura de denúncia, você precisará conhecer o cenário psicológico do seu dia a dia.

Regimes tirânicos surgiram em diferentes épocas e lugares na Europa durante o século XX, mas todas as memórias de suas vítimas têm em comum um único momento doloroso. Não importa que a lembrança seja da Itália fascista na década de 1920, da Alemanha nazista na década de 1930, da União Soviética durante o Grande Terror de 1937-8 ou dos expurgos no Leste Europeu comunista nas décadas de 1940 e 1950, as pessoas que viviam o medo da repressão se recordavam de como seus vizinhos as tratavam. Um sorriso, um aperto de mão, uma palavra de saudação — gestos banais numa situação normal — assumiam um importante significado. Quando amigos, colegas de trabalho e conhecidos viravam o rosto ou atravessavam a rua para evitar contato, o medo crescia. Não dá para ter certeza, hoje ou amanhã, sobre quem se sente ameaçado nos Estados Unidos. Mas, se der apoio a todos, você pode ter a certeza de que algumas pessoas se sentirão melhor.

Mesmo nas épocas mais perigosas, em geral aqueles que escapam e sobrevivem conhecem pessoas nas quais podem confiar. Recorrer a velhos amigos é a última das alternativas. E fazer novos amigos é o primeiro passo para a mudança.

13. Pratique a política corpo a corpo

O poder deseja que seu corpo amoleça na poltrona e que suas emoções se dissipem na tela. Saia de casa. Leve seu corpo a lugares desconhecidos, onde vivem pessoas desconhecidas. Faça novos amigos e se manifeste junto deles.

Para que a resistência tenha sucesso, é preciso que duas fronteiras sejam cruzadas. Primeiro, as ideias a respeito de mudança têm de envolver pessoas com vários históricos e que não concordem em tudo. Segundo, as pessoas precisam se encontrar em lugares que não são seus lares e com gente que antes não fazia parte de seu grupo de amigos. Um protesto pode ser organizado por meio de redes sociais, porém nada é real se não acaba nas ruas. Se os tiranos não percebem consequência alguma para seus atos no mundo tridimensional, nada vai mudar.

O único exemplo de resistência bem-sucedida ao comunismo foi o movimento trabalhista Solidariedade, em 1980-1: uma coalizão de trabalhadores e profissionais liberais, membros da Igreja católica e grupos seculares. Seus líderes tinham aprendido duras lições com o comunismo. Em 1968, o regime mobilizou trabalhadores contra estudantes que protestavam. Em 1970, quando uma greve em Gdańsk, na costa do Báltico, foi reprimida com violência, foi a vez dos trabalhadores se sentirem isolados. Em 1976, porém, intelectuais e profissionais liberais formaram um grupo para ajudar trabalhadores que tinham sofrido maus-tratos por parte do governo. Eram pessoas da direita e da esquerda, crentes e ateus, que fizeram por merecer a confiança por parte dos trabalhadores — gente que de outra forma eles não teriam conhecido.

Quando trabalhadores poloneses da costa do Báltico entraram mais uma vez em greve, em 1980, a eles se juntaram advogados, acadêmicos e outros que os ajudaram a defender sua causa. O resultado foi a criação de um sindicato livre, além de garantias do governo de que os direitos humanos seriam respeitados. Durante os dezesseis meses em que o Solidariedade foi legal, dez milhões de pessoas aderiram ao movimento e surgiu um número incontável de novas amizades, em meio a greves, protestos e passeatas. Em 1981, o regime comunista polonês reprimiu o movimento, com a imposição da lei marcial. No entanto, oito anos depois, em 1989, quando necessitaram de parceiros para negociações, os comunistas tiveram de recorrer ao Solidariedade. O sindicato insistiu na realização de eleições, nas quais saiu vitorioso. Isso foi o começo do fim do comunismo na Polônia, no Leste Europeu e na União Soviética.

A opção por atuar publicamente depende de nossa capacidade de manter uma esfera privada de vida. Estamos livres apenas quando nós mesmos traçamos uma linha entre quando somos vistos e quando não somos.

14. Preserve sua vida privada

Governantes maliciosos vão querer usar o que sabem a seu respeito para intimidá-lo. Proteja seu computador regularmente contra programas mal-intencionados, como vírus, cavalos de troia etc. Lembre-se de que o e-mail é uma correspondência quase pública. Pense em usar formas alternativas de internet, ou simplesmente usá-la menos. Tenha conversas pessoais tête-à-tête. Pela mesma razão, evite qualquer problema legal. Os tiranos procuram o gancho em que vão pendurá-lo. Procure não ter ganchos.

O que a grande pensadora política Hannah Arendt queria dizer com *totalitarismo* não era um Estado todo-poderoso, e sim a eliminação da diferença entre a vida privada e a vida pública. Estamos livres apenas na medida em que exercemos controle sobre o que as pessoas sabem de nós e em quais circunstâncias vêm a saber dessas coisas. Durante a campanha de 2016, demos sem notar um passo no sentido do totalitarismo ao aceitarmos como normal a violação da privacidade eletrônica, seja feita por órgãos de informação americanos ou russos — ou, aliás, por qualquer instituição. O roubo, a discussão ou a publicação de comunicações pessoais destrói um fundamento básico de nossos direitos. Se não tivermos controle sobre quem lê o quê e quando, não temos nenhum meio de agir no presente ou de planejar o futuro. Qualquer pessoa que viole sua privacidade pode humilhá-lo e prejudicar seus relacionamentos à vontade. Ninguém (exceto, talvez, um tirano) tem uma vida privada capaz de sobreviver à exposição pública com intenções hostis.

Os vazamentos de e mails ocorridos na campanha presidencial de 2016 também foram uma forma poderosa de desinformação. As palavras escritas numa situação só fazem sentido naquele contexto. O próprio ato de retirá-las de seu momento histórico e divulgá-las em outro é um ato de falsificação. E, pior, quando os meios de comunicação cobriram os vazamentos eletrônicos como se fossem notícias, traíram sua própria missão. Poucos jornalistas se esforçaram para explicar por que as pessoas tinham dito ou escrito o que disseram ou escreveram na época. Ao mesmo tempo, ao tratarem as violações de privacidade como notícias, esses meios de comunicação aceitaram que sua atenção fosse desviada dos fatos reais do momento. Em vez de noticiar a violação de direitos básicos, nossa mídia, de modo geral, preferiu entregar-se de forma imprudente ao interesse inerentemente obsceno que temos pela vida alheia.

Nosso apetite pelo secreto, pensava Hannah Arendt, é perigosamente político. O totalitarismo elimina a diferença entre o privado e o público não só para pôr fim à liberdade das pessoas, mas também para afastar toda a sociedade da política normal e encaminhá-la para as teorias conspiratórias. Em vez de definir fatos ou de gerar interpretações, somos seduzidos pela ideia de realidades ocultas e de conspirações sinistras que tudo explicam. Como descobrimos com aqueles vazamentos de e-mails, esse mecanismo funciona até quando o revelado não é de nenhum interesse. A revelação do que antes fora confidencial torna-se a própria notícia. (Chama a atenção o fato de o noticiário de política ser muito pior nesse sentido do que, digamos, a cobertura de eventos de moda ou de esportes. Os jornalistas de moda sabem que as modelos tiram a roupa nos camarins, e os de esportes, que os atletas tomam banho nos vestiários, mas nem por isso permitem que questões privadas suplantem o evento público que estão cobrindo.)

Quando nos interessamos ativamente por questões de relevância duvidosa em momentos escolhidos por tiranos e seus asseclas, participamos da demolição de nossa própria ordem política. Na verdade, podemos achar que não estamos fazendo mais do que acompanhar a tendência geral. Isso é verdade — e foi isso que Hannah Arendt descreveu como a degeneração de uma sociedade numa "horda". Podemos tentar resolver esse problema individualmente, protegendo nossos próprios computadores; podemos também tentar resolvê-lo coletivamente, apoiando, por exemplo, organizações voltadas para a proteção dos direitos humanos.

15. Contribua para as boas causas

Participe de modo ativo de organizações, políticas ou não, que expressem a sua postura em relação à vida. Escolha uma ou duas entidades beneficentes e faça com que as contribuições sejam debitadas automaticamente de sua conta bancária. Com isso você terá feito uma escolha livre de apoiar a sociedade civil e ajudar outras pessoas a fazer o bem.

Causa satisfação saber que, qualquer que seja o rumo dos acontecimentos, você está ajudando outras pessoas a fazer o bem. Muitas pessoas têm como apoiar uma parte da vasta rede de entidades beneficentes que um dos ex-presidentes americanos chamou de "mil pontos de luz". É mais fácil avistar esses pontos de luz, como estrelas ao anoitecer, contra um céu que escurece.

Quando os americanos pensam em liberdade, em geral visualizam uma disputa entre uma pessoa e um governo poderoso. Tendem a concluir que o indivíduo deveria ter poder, e o governo ser mantido à distância. Muito bem. Contudo, um dos elementos da liberdade é a escolha de aliados, e uma defesa da liberdade é a atividade de grupos para proteção de seus membros. É por isso que devemos participar de atividades que interessem a nós, nossos amigos e nossas famílias. Tais atividades não precisam ser necessariamente políticas: Václav Havel, o pensador dissidente tcheco, citou como exemplo a fabricação de boa cerveja.

Na medida em que nos orgulhamos dessas atividades e passamos a conhecer outras pessoas que fazem o mesmo, estamos criando uma sociedade civil. Compartilhar uma atividade nos ensina que podemos confiar em pessoas situadas fora de um círculo estreito de amigos e parentes, além de nos ajudar a reconhecer autoridades com as quais podemos aprender. A capacidade de confiar e aprender pode tornar a vida menos caótica e misteriosa, e a política democrática, mais plausível e atraente.

Diante de uma situação mais extrema do que a nossa, os dissidentes anticomunistas do Leste Europeu reconheceram a atividade aparentemente apolítica da sociedade civil como uma expressão e uma salvaguarda da liberdade. Eles tinham razão. No século XX, todos os principais inimigos da liberdade eram hostis a organizações não governamentais, entidades beneficentes etc. Os comunistas exigiam que todos os grupos dessa natureza se registrassem oficialmente e os transformaram em instituições de controle. Os fascistas criaram o que chamavam de um sistema "corporativo", no qual todas as atividades humanas tinham seu lugar apropriado, subordinadas ao Estado e ao partido. Os governantes autoritários de hoje (na Índia, na Turquia e na Rússia) também são altamente refratários à ideia de associações livres e de organizações não governamentais.

16. Aprenda com pessoas de outros países

Cultive suas amizades no exterior ou faça novos amigos em outros países. As atuais dificuldades nos Estados Unidos são parte de uma tendência mais ampla. E, sozinho, nenhum país há de encontrar uma solução. Tome providências para que você e sua família tenham passaportes.

No ano anterior ao da eleição do presidente norte-americano, os jornalistas muitas vezes se enganaram em relação à sua campanha. À medida que ele superava barreira após barreira e acumulava vitórias sucessivas, nossos analistas nos asseguravam de que na fase seguinte ele seria detido por uma ou outra instituição americana de destaque. No entanto, havia um grupo de observadores que não pensava assim: os europeus orientais e aqueles que estudam o Leste Europeu. Para eles, grande parte da campanha do presidente era manjada, e o resultado final não os surpreendeu. Jornalistas ucranianos e russos que farejavam o ar no Meio-Oeste diziam coisas mais realistas do que pesquisadores americanos de opinião pública que fizeram carreira explicando a política de seu próprio país.

Para os ucranianos, os americanos pareciam reagir de maneira comicamente lenta às ameaças óbvias de guerra cibernética e de notícias falsas. Quando a propaganda russa fez da Ucrânia um alvo, em 2013, jovens jornalistas ucranianos e outros reagiram de forma imediata e decisiva, e às vezes bem-humorada, com campanhas destinadas a denunciar a desinformação. A Rússia utilizava contra a Ucrânia muitas das mesmas técnicas que mais tarde usou contra os Estados Unidos — enquanto invadia a Ucrânia. Quando os meios de comunicação russos divulgaram, em 2014, a notícia falsa de que tropas ucranianas tinham crucificado um menino, a reação foi rápida e eficaz (ao menos na própria Ucrânia). Quando a mídia russa espalhou, em 2016, a notícia de que Hillary Clinton estaria doente, por ela ter se referido num e-mail a um artigo sobre "fadiga decisória" (que não é uma doença), o boato foi repercutido por americanos. Os ucranianos venceram, e os americanos perderam, no sentido de que a Rússia não conseguiu impor a seu vizinho o regime que desejava, mas viu o candidato de sua preferência triunfar nos Estados Unidos. O rumo da história, que durante certo tempo parecera estar transcorrendo do Ocidente ao Oriente, agora parece estar vindo do Oriente para o Ocidente. Tudo o que acontece nos Estados Unidos aconteceu primeiro lá.

O fato de a maioria dos americanos não ter passaporte tornou-se um problema para a democracia americana. Às vezes os americanos dizem que não precisam de documentos de viagem, porque preferem morrer defendendo a liberdade nos Estados Unidos. São belas palavras, mas eles ignoram um fato importante: a luta será longa. Mesmo que ela realmente exija sacrifício, requer, antes de tudo, uma atenção contínua ao mundo que nos rodeia, para que saibamos ao que estamos resistindo e qual a melhor maneira de fazê-lo. Por isso, ter um passaporte não é sinal de rendição. Pelo contrário, é uma medida libertadora, uma vez que cria a possibilidade de novas experiências. Permite-nos ver como outras pessoas, às vezes mais sábias do que nós, reagem a problemas semelhantes. Como grande parte do que aconteceu no ano passado é familiar ao resto do mundo ou ocorreu na história recente, temos a obrigação de observar e aprender.

17. Preste atenção a palavras perigosas

Fique alerta ao emprego das palavras extremismo *e* terrorismo. *Esteja atento às noções fatais de* emergência *e* exceção. *Revolte-se contra o uso traiçoeiro de vocabulário patriótico.*

O mais inteligente de todos os nazistas, o jurista Carl Schmitt, explicou em linguagem clara a essência do fascismo. A maneira de destruir todas as regras, declarou, é concentrar-se na ideia de *exceção*. Um líder nazista supera seus adversários construindo a convicção geral de que o momento presente é excepcional e, depois, transformando esse estado de exceção numa emergência permanente. A partir daí, os cidadãos trocam a liberdade real por uma falsa segurança.

Quando os políticos de hoje invocam o *terrorismo*, estão falando, é claro, de um perigo real. Mas, quando tentam nos acostumar a abrir mão da liberdade em nome da segurança, devemos levantar nossa guarda. Não há nenhum conflito de escolha entre os dois valores. Pode até acontecer de termos de abrir mão para ter o outro, mas não necessariamente. As pessoas que lhe garantem que você *só* ganha segurança em troca da liberdade em geral querem negar-lhe ambas.

Com certeza é possível conceder liberdade a uma pessoa sem lhe dar mais segurança. A sensação de submissão à autoridade talvez seja reconfortante, mas não é o mesmo que segurança verdadeira. Da mesma forma, ganhar um pouco de liberdade pode ser intimidador, mas essa intranquilidade momentânea não é perigosa. É fácil imaginar situações em que sacrificamos tanto a liberdade como a segurança, e as duas ao mesmo tempo, quando estabelecemos uma relação abusiva ou quando votamos em um fascista. Também não é muito difícil imaginar opções que ampliam tanto a liberdade como a segurança, como pôr fim a uma relação abusiva com um fascista ou emigrar de um Estado fascista. Compete ao governo ampliar a liberdade e a segurança.

O termo *extremismo* sem dúvida remete a uma situação ruim, e os governos com frequência procuram torná-la pior usando a palavra *terrorismo* na mesma frase. No entanto, a palavra tem pouco significado. Não existe nenhuma doutrina chamada *extremismo*. Quando os tiranos falam de *extremismo*, referem-se apenas a pessoas que não se encontram na corrente dominante naquele momento em particular. No século XX, os dissidentes, quer resistissem ao fascismo, quer ao comunismo, eram chamados de *extremistas*. Os modernos regimes autoritários, como o da Rússia, utilizam-se de leis contra o *extremismo* para punir aqueles que criticam suas políticas. Com isso, a ideia de *extremismo* passa a designar praticamente tudo, exceto aquilo que é, de fato, extremo: a tirania.

18. Mantenha a calma quando o impensável chegar

A *tirania moderna é a gestão do terror. Caso ocorram ataques terroristas, lembre-se de que os autoritários exploram esses fatos a fim de consolidar o poder. O desastre repentino que exige o fim dos mecanismos de controle, a dissolução de partidos de oposição, a suspensão da liberdade de expressão, o direito a um julgamento justo etc. é o truque mais antigo do manual hitlerista.* Não se deixe enganar.

O incêndio do Reichstag foi o momento em que o governo de Hitler, que chegara ao poder principalmente por meios democráticos, tornou-se a ameaça permanente que era o regime nazista. Foi o arquétipo da gestão do terror.

Em 27 de fevereiro de 1933, mais ou menos às nove da noite, o edifício que abrigava o Parlamento alemão, o Reichstag, começou a pegar fogo. Quem provocou o incêndio em Berlim naquela noite? Não sabemos, e na verdade a resposta não interessa muito. O importante é que esse ato terrorista espetacular deu início à política de emergência. Naquela noite, observando as chamas com satisfação, Hitler disse: "Este incêndio é apenas o começo". Tenham sido ou não os nazistas que provocaram o incêndio, Hitler viu ali uma oportunidade política: "De agora em diante não haverá misericórdia. Quem quer que se colocar em nosso caminho será abatido". No dia seguinte, um decreto suspendeu os direitos básicos de todos os cidadãos alemães, permitindo que fossem "detidos preventivamente" pela polícia. Com base na afirmativa de Hitler de que o incêndio fora obra de inimigos da Alemanha, o Partido Nazista obteve uma vitória decisiva nas eleições parlamentares de

5 de março. A polícia e as organizações paramilitares nazistas passaram a prender os membros de partidos políticos de esquerda e a confiná-los em campos de concentração improvisados. Em 23 de março, o novo Parlamento aprovou uma lei que dava poderes a Hitler para governar por decreto. A partir daí, a Alemanha permaneceu num estado de emergência que durou doze anos, até o fim da Segunda Guerra Mundial. Hitler havia usado um ato de terror, um fato de limitado significado por si só, para instituir um regime de terror que matou milhões de pessoas e mudou o mundo.

Os autoritários de hoje também são gestores do terror, e se há alguma diferença é o fato de serem mais criativos. Pensemos no atual regime russo, tão admirado pelo atual presidente americano. Vladimir Pútin não só chegou ao poder num incidente que lembrou bastante o incêndio do Reichstag como em seguida usou uma série de ataques terroristas — reais, questionáveis e falsos — para remover os obstáculos ao poder total na Rússia e atacar democracias vizinhas.

Quando Pútin foi nomeado primeiro-ministro pelo combalido Boris Iéltsin, em agosto de 1999, era um desconhecido, com um índice de aprovação insignificante. No mês seguinte, uma série de edifícios foi vítima de atentados a bomba, praticados, ao que tudo indica, pela polícia secreta russa. Seus oficiais foram presos pelos próprios colegas, com evidências de sua culpa; em outro caso, o presidente do Parlamento russo anunciou uma explosão dias *antes* que ela ocorresse. Não obstante, Pútin declarou uma guerra de vingança contra a população muçulmana da Rússia na Tchetchênia, prometendo perseguir os supostos culpados e "acabar com eles numa fossa".

A nação russa cerrou fileiras; os índices de aprovação de Pútin dispararam; em março do ano seguinte, ele ganhou a eleição presidencial. Em 2002, depois de forças de segurança russas terem matado dezenas de civis ao reprimir um ataque terrorista real num teatro de Moscou, Pútin explorou o incidente para assegurar o controle da televisão privada. Depois que uma escola em Beslan foi sitiada por terroristas em 2004, Pútin cassou os governantes regionais eleitos. Portanto, o que possibilitou a ascensão de Pútin ao poder e a eliminação de duas instituições importantes — a televisão privada e os governos regionais eleitos — foi a gestão de terrorismo real, falso ou questionável.

Depois da volta de Pútin à presidência, em 2012, a Rússia adotou a gestão do terror em sua política externa. Ao invadir a Ucrânia, em 2014, a Rússia transformou unidades de seu Exército regular numa força terrorista, removendo insígnias das fardas e negando toda responsabilidade pelo terrível sofrimento que essas unidades infligiam. Na campanha de ocupação da região de Donbass, no sudeste da Ucrânia, a Rússia utilizou tropas tchetchenas irregulares e enviou unidades regulares de seu Exército, baseadas em regiões muçulmanas, para participar da invasão. A Rússia também tentou, sem sucesso, invadir o sistema informatizado da eleição presidencial ucraniana, em 2014.

Em abril de 2015, hackers russos interferiram na transmissão de uma emissora de TV francesa, passando-se por agentes do Estado Islâmico, e a seguir transmitiram conteúdos destinados a aterrorizar a França. O material russo apresentava um suposto "cibercalifado", para que os franceses se sentissem mais assustados do que já estavam. O objetivo presumível seria levar os eleitores a votar na Frente Nacional, um partido de extrema direita apoiado financeiramente pela Rússia. Depois de 139 pessoas serem mortas e 368 feridas no ataque terrorista em Paris, em novembro de 2015, o fundador de uma organização de pesquisa interdisciplinar ligada ao Kremlin aplaudiu a possibilidade de que o terrorismo aproximasse a Europa do fascismo e da Rússia. Em outras palavras, o terrorismo islâmico na Europa Ocidental, fosse ele falso ou real, interessava à Rússia.

No início de 2016, a Rússia produziu um momento de falso terror na Alemanha. Enquanto bombardeava civis sírios, e com isso empurrava os refugiados muçulmanos para a Europa, a Rússia explorou um drama familiar a fim de mostrar aos alemães que os muçulmanos estupravam crianças. O objetivo, novamente, teria sido desestabilizar um sistema democrático e promover os partidos de extrema direita.

Em setembro daquele ano, o governo alemão anunciara que receberia meio milhão de refugiados da guerra na Síria. A Rússia deu início, então, a uma campanha de bombardeios na Síria que tinha como alvo a população civil. Em janeiro de 2016, os meios de comunicação russos divulgaram a notícia de que, na Alemanha, uma moça de origem russa, que estava desaparecida fazia certo tempo, tinha sido vítima de um estupro coletivo por parte de imigrantes muçulmanos. Com uma rapidez bem suspeita, organizações de extrema direita na Alemanha promoveram protestos contra o governo. Quando a polícia informou à população que nada disso tinha acontecido, a mídia russa acusou-a de acobertar o crime. Até diplomatas russos participaram do espetáculo.

Quando o atual presidente americano e seu conselheiro de segurança nacional falam em combater o terrorismo ao lado da Rússia, o que estão propondo ao povo americano é a gestão do terror: a exploração de ataques terroristas reais, duvidosos e simulados para derrubar a democracia. A narrativa russa do primeiro telefonema entre o presidente e Vladimir Pútin é reveladora: os dois homens "compartilharam a opinião segundo a qual é necessário juntar esforços contra o inimigo comum número um: o terrorismo e o extremismo internacionais".

Para os tiranos, a lição deixada pelo incêndio do Reichstag é que um momento de choque permite uma eternidade de submissão. Para nós, a lição é que nosso medo e nosso luto não devem possibilitar a destruição de nossas instituições. Coragem não significa ausência de medo ou de luto.

Significa reconhecer e resistir à gestão do terror imediatamente, a partir do momento do ataque, justamente quando isso parece mais difícil.

Depois do incêndio do Reichstag, Hannah Arendt escreveu: "deixei de achar que uma pessoa pode ser simplesmente uma observadora".

19. Seja patriota

Dê um bom exemplo para as próximas gerações do que a sua pátria significa. Elas vão precisar disso.

O que é patriotismo? Vamos começar com aquilo que não é. Não é patriótico fugir ao serviço militar e zombar dos heróis de guerra e de suas famílias. Não é patriótico discriminar membros das Forças Armadas na ativa em empresas ou fazer campanha para impedir o acesso de veteranos com deficiência física a propriedades. Não é patriótico comparar a busca de parceiros sexuais em Nova York com o serviço militar no Vietnã do qual fugiram. Não é patriótico sonegar impostos, principalmente quando famílias de trabalhadores americanos não o fazem. Não é patriótico pedir às famílias americanas trabalhadoras, que pagam impostos, que financiem a campanha presidencial e depois desviar suas contribuições para as próprias empresas.

Não é patriótico admirar ditadores estrangeiros. Não é patriótico cultivar uma ligação com Muamar Kadafi; ou dizer que Bashar al-Assad e Vladimir Pútin são excelentes líderes. Não é patriótico pedir à Rússia que interfira numa eleição presidencial americana. Não é patriótico citar propagandas russas em comícios. Não é patriótico dividir um conselheiro com oligarcas russos. Não é patriótico pedir orientação sobre política externa a alguém que possui ações de uma empresa russa de energia. Não é patriótico ler um discurso sobre política externa redigido por alguém que está na folha de pagamento de uma empresa russa de energia. Não é patriótico nomear um conselheiro de segurança nacional que recebeu dinheiro de um órgão de propaganda russo. Não é patriótico nomear como secretário de Estado uma pessoa ligada à indústria petrolífera que é diretor de uma empresa de energia russo-americana e recebeu a "Ordem de Amizade" concedida por Pútin.

A questão não é que a Rússia e os Estados Unidos devam ser inimigos. A questão é que patriotismo envolve servir *a seu próprio país*.

O atual presidente americano é um nacionalista, o que não significa o mesmo que ser patriota. Um nacionalista nos incentiva a mostrar nosso pior lado, e depois diz que somos os melhores. Um nacionalista, "embora pense interminavelmente sobre poder, vitória, derrota e vingança", como escreveu Orwell, tende a "não se interessar pelo que acontece no mundo real". O nacionalismo é relativista, já que a única verdade é o ressentimento que nos invade quando contemplamos os outros. Nas palavras do romancista Danilo Kiš, o nacionalismo "não tem valores universais, estéticos ou éticos".

Um patriota, por sua vez, deseja que a nação corresponda a seus ideais, o que significa pedir que mostremos nosso melhor lado. Um patriota preocupa-se com o mundo real, que é o único lugar onde seu país pode ser amado e apoiado. Um patriota tem valores universais, padrões segundo os quais ele julga sua nação, sempre desejando o seu bem — e que ela estivesse melhor.

A democracia entrou em colapso na Europa nas décadas de 1920, 1930 e 1940, e está desmoronando atualmente não só em grande parte da Europa como também em muitas partes do mundo. É essa história e essa experiência que nos revelam o lado sombrio de nossos futuros possíveis. Um nacionalista dirá que "isso não pode acontecer aqui", o que é o primeiro passo para o desastre. Um patriota afirma que isso pode acontecer aqui, mas que vamos impedir isso.

20. Seja o mais corajoso possível

Se nenhum de nós estiver disposto a morrer pela liberdade, todos morreremos sob a tirania.

epílogo
história e liberdade

Na tragédia *Hamlet*, de Shakespeare, o herói é um homem virtuoso que, com razão, está chocado com a ascensão súbita de um governante perverso. Perseguido por visões, abatido por pesadelos, solitário e sem ajuda, ele sente que precisa reconstruir sua noção de tempo. "O tempo está disjunto", diz Hamlet. "Oh, despeito imundo,/ Que para endireitá-lo eu tenha vindo ao mundo!" Nosso tempo está sem dúvida disjunto, uma época sem dúvida fora dos eixos. Nós nos esquecemos da história por uma razão e, se não tivermos cuidado, haveremos de descuidar dela por outra. Teremos de rever nossa própria noção de tempo, se quisermos renovar nosso compromisso com a liberdade.

Até recentemente, estávamos convencidos de que nada havia no futuro senão mais do mesmo.

Os traumas supostamente remotos do fascismo, do nazismo e do comunismo pareciam prester a se tornar irrelevantes. Nós nos permitíamos aceitar a *política da inevitabilidade*, a ideia de que a história só podia se mover numa direção: a da democracia liberal. Depois que o comunismo no Leste Europeu chegou ao fim, em 1989-91, nós nos impregnamos do mito de um "fim da história". Com isso, baixamos nossas defesas, reprimimos nossa imaginação e abrimos caminho justamente para os regimes aos quais nos prometemos nunca voltar.

A rigor, a política da inevitabilidade parece, à primeira vista, uma espécie de história. Os políticos da inevitabilidade não negam a existência de um passado, um presente e um futuro. Admitem até o tipo pitoresco de um passado distante. No entanto, retratam o presente apenas como um passo para um futuro que já conhecemos, um futuro de crescente globalização e crescente prosperidade. É isso que se chama de teleologia: uma narrativa do tempo que leva a uma meta segura e em geral desejável. O comunismo também oferecia uma teleologia, prometendo uma inevitável utopia socialista. Quando essa história foi despedaçada, há um quarto de século, tiramos a conclusão errada:

em vez de rejeitar as teleologias, imaginamos que a própria narrativa fosse a verdadeira.

A política da inevitabilidade é um coma intelectual autoinduzido. Enquanto havia uma disputa entre o sistema comunista e o capitalista, e enquanto a memória do fascismo e do nazismo estava viva, os americanos tinham de prestar alguma atenção à história e preservar os conceitos que lhes permitiam imaginar futuros alternativos. Contudo, a partir do momento em que aceitamos a política da inevitabilidade, presumimos que a história não era mais relevante. Se tudo no passado é governado por uma tendência conhecida, não há necessidade de conhecer os detalhes.

A aceitação da inevitabilidade determinou a maneira como falamos de política no século XXI. Sufocou o debate político e favoreceu o nascimento de sistemas partidários em que um partido político defendia o statu quo, enquanto o outro propunha sua negação total. Aprendemos a dizer que não havia "alternativa nenhuma" à ordem básica das coisas, uma sensibilidade que o pensador político lituano Leonidas Donskis batizou de "mal líquido". Assim que a inevitabilidade passou a ser aceita sem discussão, a crítica de fato se tornou escorregadia. O que parecia ser uma análise crítica muitas vezes presumia que o statu quo na verdade não poderia mudar, e com isso o reforçava indiretamente.

Alguns se referiam criticamente ao *neoliberalismo*, à percepção de que a ideia de livre mercado desalojou todas as outras. Até certo ponto isso aconteceu, mas o próprio uso da palavra era, em geral, uma reverência a uma hegemonia inalterável. Outros críticos falavam da necessidade de *ruptura*, recorrendo a um termo tirado da análise de inovações tecnológicas. Quando aplicado à política, ele também traz a implicação de que nada realmente muda, que o caos que nos preocupa acabará por ser absorvido por um sistema autorregulador. O homem nu que invade um campo de futebol de fato causa uma disrupção, mas não altera as regras do jogo. Essa noção como um todo é juvenil: parte do princípio de que, depois que os adolescentes criam uma confusão, os adultos a resolvem.

Mas não existem adultos. Somos nós que temos de resolver a bagunça.

A segunda maneira anti-histórica de encarar o passado é a *política da eternidade*. Tanto quanto a política da inevitabilidade, a política da eternidade representa um simulacro da história, mas de um caráter diferente. Ela se interessa pelo passado, mas de uma forma egocêntrica, livre de qualquer compromisso com os fatos. Seu espírito é o de uma nostalgia de momentos gloriosos que jamais aconteceram em épocas que, na verdade, foram desastrosas. Os políticos da eternidade nos oferecem o passado como um vasto pátio enevoado de incompreensíveis monumentos à vitimização nacional, todos igualmente distantes do presente, todos igualmente suscetíveis à manipulação. Todas as referências ao passado envolvem um ataque de algum inimigo externo à pureza da nação.

Os populistas nacionais são políticos da eternidade. Seu ponto de referência predileto é a época em que as repúblicas democráticas pareciam derrotadas e suas rivais nazistas e soviéticas imbatíveis: a década de 1930. Aqueles que defenderam o Brexit, a saída do Reino Unido da União Europeia, imaginaram um Estado-nação britânico, embora isso nunca tenha existido. Havia um Império Britânico, e depois a Grã-Bretanha como membro da União Europeia. A saída da UE não é um passo atrás para a terra firme, mas um salto no desconhecido.

Estranhamente, quando os juízes declararam que o Brexit exigia uma votação parlamentar, um tabloide britânico chamou-os de "inimigos do povo" — um termo stalinista saído dos julgamentos-espetáculo da década de 1930. Na França, a Frente Nacional recomenda aos eleitores que rejeitem a Europa em nome de um suposto Estado-nação francês do pré-guerra. No entanto, a França, tal como a Grã-Bretanha, nunca existiu sem um império ou um projeto europeu. Os governantes da Rússia, da Polônia e da Hungria também fazem acenos semelhantes para uma imagem fulgurante da década de 1930.

Em sua campanha de 2016, o presidente americano usou o slogan "Os Estados Unidos primeiro", que foi o nome de uma comissão que procurou impedir que o país se opusesse à Alemanha nazista. O conselheiro estratégico do presidente promete políticas que serão "tão emocionantes quanto as da década de 1930". A que se refere o presidente quando repete a promessa de "Tornar os Estados Unidos grandes de novo"? Ele mesmo descreveu uma mudança de regime ao estilo da década de 1930 como a solução para os problemas do presente: "Sabem o que resolve isso? Quando a economia quebra, quando o país mergulha no fundo do poço e tudo vira uma droga". Nós precisamos, segundo ele, "de distúrbios que façam tudo voltar a ser como quando éramos grandes".

Na política da eternidade, a sedução de um passo mítico nos impede de contemplar futuros possíveis. O hábito de concentrar-se na vitimização embota o impulso de autocorreção. Como a nação é definida por sua virtude inerente e não por seu potencial futuro, a política torna-se uma discussão sobre o bem e o mal, e não uma discussão de possíveis soluções para problemas reais. Como a crise é permanente, a sensação de emergência está sempre presente; planejar o futuro parece impossível ou até mesmo desleal. Como podemos sequer pensar em reforma quando o inimigo está sempre no portão?

Se a política da inevitabilidade é como um coma, a política da eternidade é como a hipnose: fitamos o vórtex giratório do mito cíclico até entrarmos em transe — e aí fazemos alguma coisa chocante, obedecendo às ordens de alguém.

O perigo que corremos hoje é passar da política de inevitabilidade para a política de eternidade, de uma espécie ingênua e imperfeita de república democrática para uma espécie confusa e cínica de oligarquia fascista. A política de inevitabilidade é terrivelmente vulnerável ao tipo de choque que acabou de receber. Quando alguma coisa despedaça o mito, quando nosso tempo se desajusta, corremos em busca de outra maneira de organizar o que experimentamos. O caminho de menor resistência leva diretamente da inevitabilidade à eternidade. Se você um dia acreditou que no fim tudo acaba bem, poderá ser persuadido de que nada pode acabar bem. Se você um dia não tomou uma atitude por acreditar que o progresso é inevitável, pode continuar a não fazer nada por achar que o tempo avança em ciclos repetitivos.

Essas duas posições, a inevitabilidade e a eternidade, são anti-históricas. A única coisa que se interpõe entre elas é a própria história. A história nos permite ver padrões e fazer julgamentos. Ela esboça para nós as estruturas dentro das quais podemos procurar a liberdade. Revela momentos, cada um deles diferente, nenhum inteiramente singular. Compreender um momento é ver a possibilidade de participar da criação de outro momento. A história nos permite sermos responsáveis: não por tudo, mas por alguma coisa. O poeta polonês

Czesław Miłosz considerava que essa ideia de responsabilidade atuava contra a solidão e a indiferença. A história nos dá a companhia daqueles que fizeram e sofreram mais do que nós.

Ao abraçar a política da inevitabilidade, criamos uma geração sem história. Como reagirão os jovens agora que a promessa da inevitabilidade foi obviamente quebrada? Talvez passem da inevitabilidade para a eternidade. Gostaríamos de esperar que eles pudessem, em vez disso, tornar-se uma geração histórica, rejeitando as armadilhas da inevitabilidade e da eternidade que gerações mais velhas puseram em seu caminho. Uma coisa é certa: se os jovens não começarem a fazer história, os políticos da eternidade e da inevitabilidade a destruirão. E, para fazer história, os jovens terão de conhecê-la um pouco. Isso não é o fim, mas um começo.

"O tempo está disjunto. Oh, despeito imundo,/ Que para endireitá-lo eu tenha vindo ao mundo!" Assim disse Hamlet. Mas ele conclui: "Mas, venham, vamos lá, juntos".

sobre a tirania

VINTE CARTAZES PARA
ENFRENTAR OS DESAFIOS
DO PRESENTE

A Companhia das Letras convidou um grupo de renomados designers brasileiros e a equipe de arte da editora para criar cartazes inspirados nos capítulos deste livro. Os cartazes foram expostos entre os dias 9 e 19 de junho de 2017 no Espaço Cultural do Conjunto Nacional, em São Paulo. As obras realizadas não refletem a opinião de Timothy Snyder ou da editora.

A editora agradece à Oficina Tipográfica São Paulo (OTSP), à Escola Senai Theobaldo De Nigris, ao Espaço Cultural do Conjunto Nacional e aos designers envolvidos na produção deste livro: Alceu Chiesorin Nunes, André Hellmeister, Bruno Romão, Celso Koyama, Claudia Espínola de Carvalho, Claudio Rocha, Elisa Braga, Elisa von Randow, Fabio Uehara, Hélio de Almeida, Joana Figueiredo, Kiko Farkas, Marcos Mello, Mateus Valadares, Raul Loureiro, Rodrigo Maroja, Sarah Bonet, Tamires Cordeiro, Tereza Bettinardi, Thiago Lacaz e Victor Burton.

1. NÃO OBEDEÇA DE ANTEMÃO,
por Marcos Mello

COLERE
CULTURE
culturae
1. não obedeça de antemão

2. DEFENDA AS INSTITUIÇÕES,
por Elisa von Randow

2. Defenda as instituições

3. CUIDADO COM O ESTADO DE PARTIDO ÚNICO, por Alceu Chiesorin Nunes

nunca
VETE
VOTO!

VOTE
SEMPRE

3. Cuidado com o Estado de partido único

4. ASSUMA SUA RESPONSABILIDADE PARA COM O MUNDO, por Sarah Bonet

“4. Assuma sua responsabilidade para com o mundo”

resistência

PROPAGANDA

5. LEMBRE-SE DA ÉTICA PROFISSIONAL, por Mateus Valadares

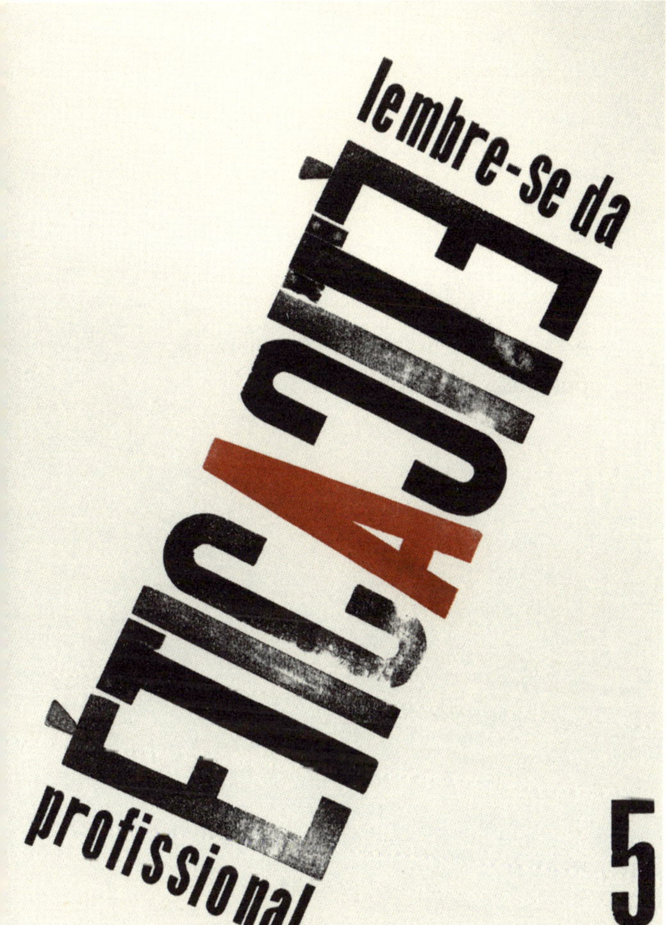
lembre-se da
ÉTICA
profissional
5

6. CUIDADO COM GRUPOS PARAMILITARES, por Joana Figueiredo

6. Cuidado com grupos paramilitares

7. SE VOCÊ TIVER QUE PORTAR ARMAS, REFLITA,
por Claudia Espínola de Carvalho

7. se você tiver que portar armas, reflita

8. DESTAQUE-SE,
por Hélio de Almeida

8. Destaque-se

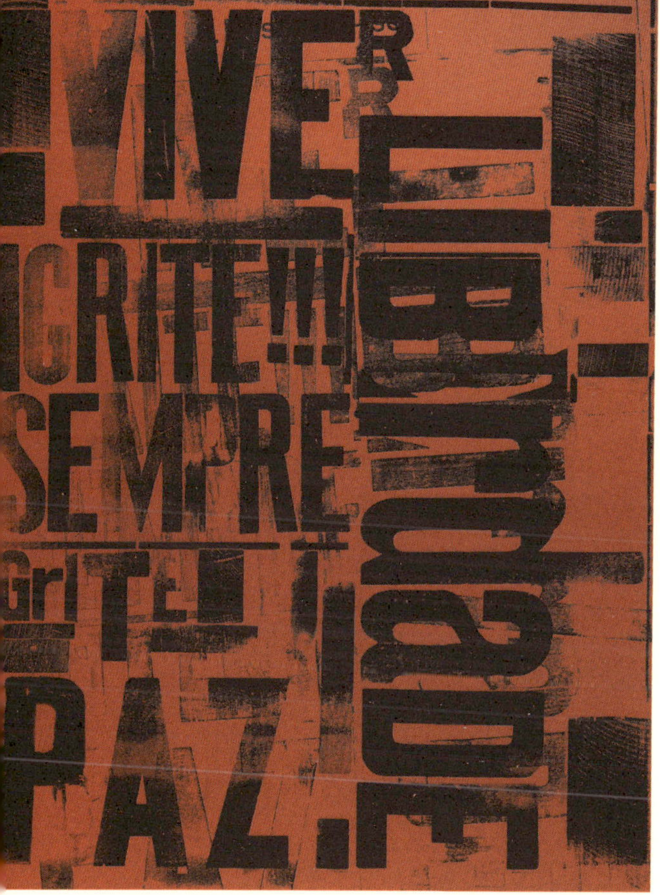

9. TRATE BEM A LÍNGUA,
por Claudio Rocha

VIC TOR KL EMPERER RA Y BRADBURY GE

ORGE O RWEL L D O ST OI É V SKI M

I L AN K UND E R A J.K. RO WL I N G

HANN A H ARENDT ALBER T C AMUS C Z ESLAW M I LOS Z
V Á CLAV HA VEL LESZEK KO LAKOWSKI TIM OTHY GARTON ASH

TO N Y J UDT CHRISTOPHERBROWN I N G

PETER POM E R A N T S E V PHILIP ROT H

AAABCDEF G HIJKLMNOPQRSTUV WXY & Z

9. Trate bem a língua

10. ACREDITE NA VERDADE,
por Tamires Cordeiro

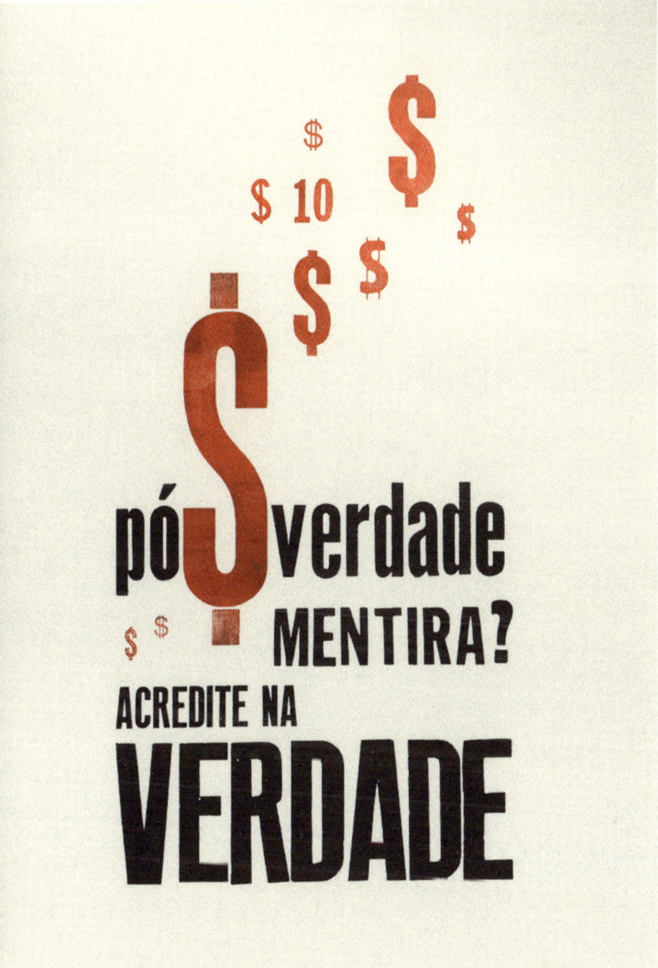
$
$ 10
$
$
$
$
$
pó$verdade
$ $
MENTIRA?
ACREDITE NA
VERDADE

11. INVESTIGUE, por André Hellmeister

11. Investigue

12. FAÇA CONTATO VISUAL E CONVERSE SOBRE GENERALIDADES,

por Raul Loureiro

FORA T.

12
FAÇA CONTATO VISUAL E CONVERSE SOBRE GENERALIDADES

13. PRATIQUE A POLÍTICA CORPO A CORPO, por Rodrigo Maroja

13

PRATIQUE A POLÍTICA

CORPO A CORPO A CORPO A CORPO A CORPO

CORPO A CORPO A CORPO A CORPO

CORPO A CORPO A CORPO

CORPO A CORPO

CORPO A

CORPO

14. PRESERVE SUA VIDA PRIVADA,
por Bruno Romão

14

Preserve sua (vida privada)

15. CONTRIBUA PARA AS BOAS CAUSAS,
por Victor Burton

15

CONTRIBUA PARA AS BOAS CAUSAS

16. APRENDA COM PESSOAS DE OUTROS PAÍSES, por Fabio Uehara

16. Aprenda com pessoas de outros países

17. PRESTE ATENÇÃO A PALAVRAS PERIGOSAS, por Celso Koyama

17

preste~ ATENÇAO s a PALAVRAS PERIGOSAS

TERRORISMO

EXTREMISMO

18. MANTENHA A CALMA QUANDO O IMPENSÁVEL CHEGAR,

por Elisa Braga com Fabio Uehara

c a l m a

c a l m a

c a l m a

ImpENSáVeL

18. Mantenha a calma quando o impensável chegar

19. SEJA PATRIOTA,
por Thiago Lacaz

AC AL AM AP
BA CE DF ES GO
MA MG MS MT
PA PB PE PI PR
RJ RN RO RR RS
SC SE SP TO

19. Seja patriota

20. SEJA O MAIS CORAJOSO POSSÍVEL, por Tereza Bettinardi

20.
seJA
o
-mais
corAJoso
POsSíveL

1ª EDIÇÃO [2017] 2 reimpressões

ESTA OBRA FOI COMPOSTA POR CLAUDIA ESPÍNOLA DE CARVALHO
EM ELECTRA E IMPRESSA PELA LIS GRÁFICA EM OFSETE SOBRE
PAPEL PÓLEN BOLD DA SUZANO PAPEL E CELULOSE PARA
A EDITORA SCHWARCZ EM ABRIL DE 2018

FSC
www.fsc.org
MISTO
Papel produzido a partir de fontes responsáveis
FSC® C112738

A marca FSC® é a garantia de que a madeira utilizada na fabricação do papel deste livro provém de florestas que foram gerenciadas de maneira ambientalmente correta, socialmente justa e economicamente viável, além de outras fontes de origem controlada.